50

Objets à voir depuis un petit télescope

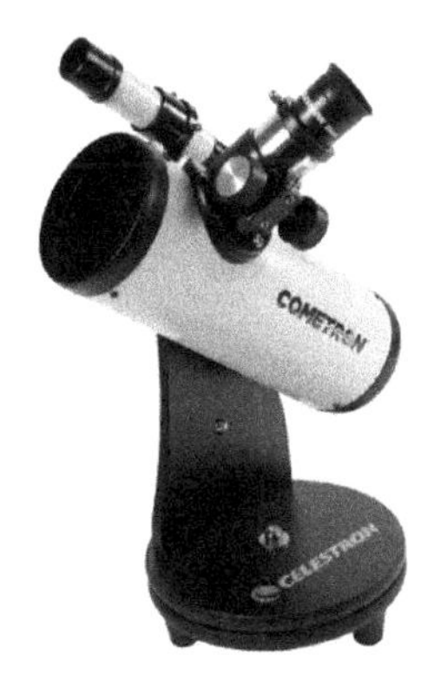

John A. Read

www.facebook.com/50ThingstoSeewithaSmallTelescope

Une note de l'auteur:

Quand je regarde au travers de mon télescope, j'explore une nouvelle et fantastique frontière.

Je sais que vous avez envie de vous rendre directement au milieu de ce livre, choisir quelque chose d'amusant, et d'essayer de le voir dans votre télescope. Notez que seulement près d'un tiers des éléments présentés dans ce livre seront visibles sur un soir précis. Avant que vous sortiez votre télescope pour la soirée, veuillez télécharger un logiciel d'observation des étoiles tel que Stellarium (disponible gratuitement sur http://www.stellarium.org). En utilisant ce logiciel, vous devrez déterminer la saison durant laquelle votre objet cible est visible.

Par ailleurs, faisant de l'astronomie dans l'hémisphère nord, ce livre tend a être centré sur l'hémisphère nord; toutes mes excuses à l'Australie, le Brésil et tous nos autres amis du sud de l'hémisphère.

Enfin, comme premier rappel, ne regardez pas le soleil au travers d'un télescope sans utiliser un filtre solaire! Amusez vous bien!

Traduit par Aurélie Navarro www.upwork.com

Les plans d'étoiles utilisés dans ce livre ont été réalisés avec Stellarium, http://stellarium.org/, un programme d'observation des étoiles librement consultable.
La photo de couverture a été réalisée par Sean McCauley. Merci de visiter son site internet (indiqué ci-dessous) pour plus de détails sur la façon de contacter Sean pour vos propres besoins en photographies et vidéos.
http://silhouetteproductions.com

Les images des télescopes suivants ont été fournis avec nos compliments par Celestron:
Celestron First Scope (Page 10), Celestron Powerseeker 114Az et Celestron NexStar 6se
Les images des télescopes suivants ont été reproduits avec la permission d'Orion Telescopes & Binoculars,
6 Inch Orion SkyQuest, 8 Inch Orion SkyQuest
L'image de Meade Lightbridge Dobsonian a été fournie avec nos compliments par Meade Instruments.
Les documents sources de vue de télescope pour les objets du ciel profond ont été construits à partir des actuelles astrophotos utilisées avec la permission des astrophotographes suivants :

Mark Stanford Sr: Trifide Nébuleuse

Stuart Forman: Double amas de Persée, M1, M13, M27, M51, M81 & M82, M81 (Supernova ajoutée).

Mike Harms: Andromède, Comète, M42

Dave Lane (Burke-Gaffney Observatory): Comète Catalina

Les images de la NASA suivent les directives d'utilisation photo de la NASA disponibles à l'adresse suivante:
http://www.nasa.gov/audience/formedia/features/MP_Photo_Guidelines.html

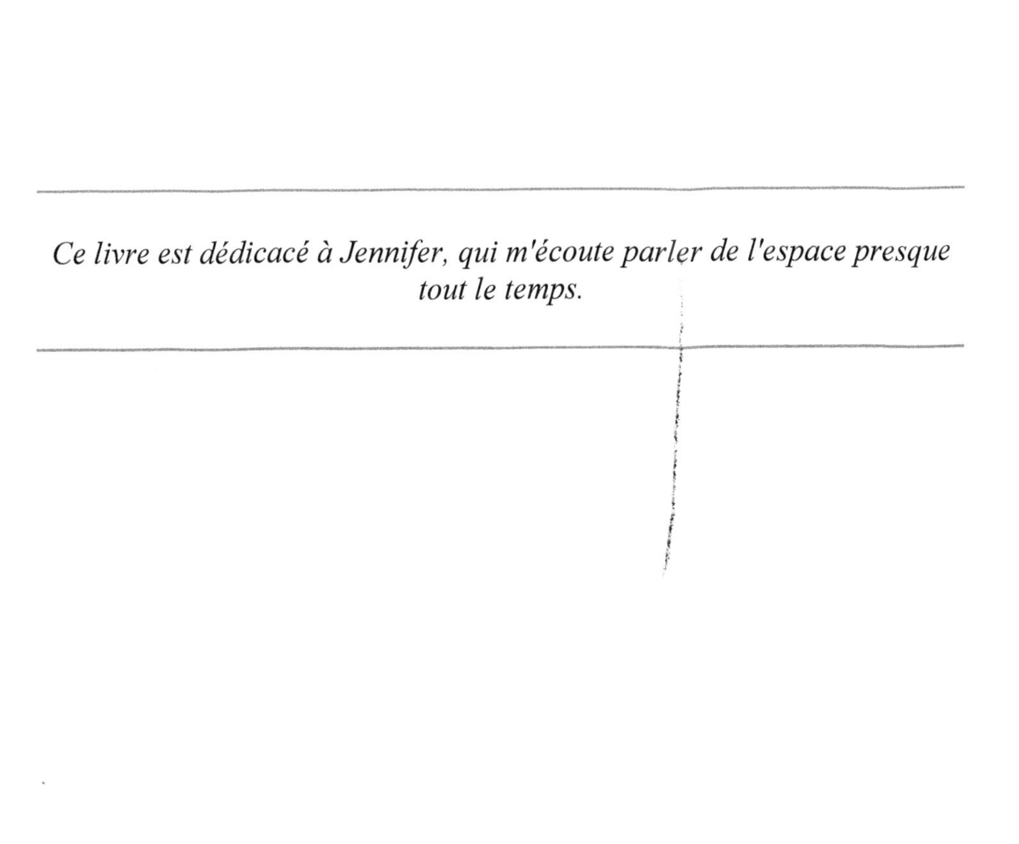

Ce livre est dédicacé à Jennifer, qui m'écoute parler de l'espace presque tout le temps.

M42. Photo de l'auteur

Remerciements

J'aimerais exprimer ma gratitude à Marni Berendsen, développeur de la NASA Night Sky Network, pour sa fantastique contribution à l'édition et la vérification factuelle de ce livre.

J'aimerais également remercier la Mount Diablo Astronomical Society (MDAS) pour avoir continuellement nourri mon désire d'en apprendre toujours plus sur l'univers. Ce livre n'aurait pas été possible sans le soutien de toutes les fantastiques personnes de MDAS.

Pour trouver le club d'astronomie le plus proche de chez vous, merci de visiter:

www.skyandtelescope.com/astronomy-clubs-organizations
http://nightsky.jpl.nasa.gov (États-Unis)
www.rasc.ca/locations-across-canada (Canada)

Table des matières

Introduction

Ce livre est destiné à des utilisateurs de petits télescopes Dans le contexte de ce livre, un petit télescope correspond à tout télescope acheté pour quelques centaines de dollars ou moins. Une des raisons pour laquelle j'ai écrit ce livre est pour répondre aux difficultés rencontrées par les nouveaux propriétaires de petits télescopes achetés dans les grands magasins. En fait, le titre original de ce livre était *50 choses à voir dans un télescope provenant d'un grand magasin.*

De nombreux télescopes sont utilisés une fois, emballés, et déposés dans le fond d'un placard. Parfois, les gens achètent ces télescopes grâce aux images des planètes et des galaxies sur la boîte, les amenant à croire que leur nouvelle portée est aussi puissante que le télescope spatial Hubble.

Vous avez peut-être déjà essayé d'utiliser le télescope et vous réalisez que la fixation est fragile, les optiques sont faibles, et l'ordinateur (s'il dispose d'un ordinateur) qui est programmé avec 14 000 objets, ne sait pas distinguer Jupiter de la Lune.

Mes trois premiers télescopes répondaient à ces critères. Comme un gamin, je passais des heures à regarder des objets aléatoires dans l'espace, rêvant de voir un jour quelque chose d'excitant. J'ai désespérément espéré voir quelque chose enflammer mon âme, me transportant vers une carrière lucrative comme celle d'un astronaute.

J'étais un adulte avant d'avoir eu une de ces expériences enrichissantes, et bien établi dans une carrière dans un cabinet comptable alors que mon âme n'était vraiment allumée que pour l'astronomie. Le magasin local vendait de petits télescopes pour 13,99 $. La boîte était magnifiquement conçue avec des images de Saturne et de Jupiter. Je alors pensé, *quel est le mal, je vais le*

faire, je vais acheter ce télescope!

J'ai rapporté le télescope à la maison et je l'ai configuré. "*Ce champ n'est vraiment pas très bon*!" pensais-je, me sentant embarrassé d'avoir dépensé de l'argent pour un tel morceau de ferraille. Le télescope avait un trépied en plastique à la place d'un support approprié, les pièces oculaires étaient assez petites, l'objectif principal était de la taille d'une grosse pièce de monnaie et la portée du viseur était définitivement fait juste pour la décoration.

Quoi qu'il en soit, je décidais d'y jeter un coup d'œil. J'ai porté le télescope à l'extérieur, l'ai mis en place en face de mon appartement, sous un lampadaire et à côté de la ligne de métro. J'ai pointé le petit télescope sur une étoile jaune vif qui venait juste d'apparaître au-dessus de l'horizon.

« *Mince alors !* » j'ai pensé, alors que la portée bancale se stabilisait dans l'air de cette soirée si claire. Devant moi, avec une haute définition parfaite, une mise au point parfaite, sans aucune distorsion, j'ai vu pour la première fois l'anneau de Saturne.

Pour de nombreux lecteurs, ce premier télescope que vous avez acheté (ou reçu) vous casse les pieds. A tel point que vous devez vous tordre le cou juste pour regarder dans l'oculaire. Dès lors, ce livre est pour vous.

Ce qui m'a inspiré pour écrire ce livre? Eh bien, je fais beaucoup de bénévolat avec le groupe du club d'astronomie local, par le biais du Night Sky Network de la NASA. Nous allons d'école en école apprendre aux étudiants les rudiments de l'astronomie et la façon dont il faut utiliser un télescope. En fait, même si nous sommes en Californie, le ciel n'est pas toujours clair à 100%. Et voici une conversation fréquente:

Enfant: “Est ce que l'on peut regarder le soleil?”

Moi: “Non tu peux seulement voir le soleil au cours de la journée.”

Enfant: “Est ce que je pcux voir la Lune”

Moi: “Non, elle n'est pas là ce soir. Mais il y a beaucoup d'autres choses à voir ”

Enfant: “Comme quoi?”

A cet instant les nuages commencent à arriver.

Moi: “Comme ça!”, il pointe le télescope sur Saturne.

Enfant: “Je ne la vois pas.”

Moi: “Ah, un nuage s'est positionné en face de Saturne.”

L'enfant s'en va.

Lorsque cela arrive, il est l'heure de faire preuve de créativité, sinon le désordre suit. Les élèves commencent à s'ennuyer, et ils commencent à se dissiper. Les enseignants leur donnent des lampes de poche, qu'ils orientent dans vos yeux. Vous tournez le dos pendant dix secondes et il y a un enfant qui est en train de faire du cheval sur votre télescope.

Parfois, nous avons juste besoin de penser de manière non conventionnelle. J'étais au sommet du mont Diablo lors d'un événement sur l'astronomie quand les nuages sont apparus. J'ai alors décidé de pointer le télescope sur la lumière rouge qui était sur le toit de l'immeuble d'observation, au sommet. Les étudiants ont été fascinés!

La lumière était à un quart de mile de distance, mais on pouvait voir la condensation sur l'enceinte en verre rouge. Un papillon de nuit flottait autour d'elle.

Les enfants ont remarqué que l'ampoule était apparue à l'envers dans le champ, et j'ai du expliquer que cet effet était lié aux lentilles et miroirs dans le champ d'application. En regardant l'ampoule à un quart de mile de là, nous étions en mesure de saisir la puissance du télescope, de voir quelque chose de familier, quelque chose de si petit, quelque chose de si lointain.

Nous avons passé une demi-heure à regarder cette ampoule. Elle a été vue par au moins une centaine de personnes. Cette nuit-là a vu naître probablement autant de futurs scientifiques qu'une nuit où il n'y aurait pas eu de nuage du tout.

Vous n'avez pas encore de télescope ?

Depuis que j'ai publié la première version de ce livre en 2013, beaucoup de gens m'ont envoyé des messages me demandant quel télescope ils devaient acheter compte tenu de leur budget. La réponse la plus commune à cette question est “ça dépend”. Je déteste donner cette réponse. La plupart des gens qui se lancent en tant qu'amateur dans l'astronomie ont un objectif: voir des choses intéressantes. Ils n'essayent pas de prendre des photos ou faire des découvertes scientifiques révolutionnaires. Avec cela à l'esprit, ma seule règle pour recommander un premier télescope est d'obtenir le télescope avec la plus grande ouverture que vous puissiez vous offrir (l'ouverture est le diamètre de l'objectif primaire ou miroir). Je tiens à ce conseil parce qu'il est la meilleure façon de voir des choses intéressantes.

Celestron First Scope

Si votre budget se trouve entre 50€ et 75€ ($50 et $75): Ce télescope de table à 76mm d'ouverture, est plus que suffisant pour tout voir dans ce livre. Et pour environ 50€, vous ne pouvez pas faire mieux en terme de facilité de support.

Entre 75€ et 150€: Dans cette gamme de prix, commencez à chercher des télescopes avec plus de 110mm (~ 4,5 pouces) d'ouverture. Cela vous apportera de superbes vues sur les anneaux de Saturne et des centaines d'objets du ciel profond.

Celestron Powerseeker 114AZ

Orion SkyQuest 6

Astuce de pro: Songez à acheter un télescope d'occasion afin d'obtenir plus d'ouverture pour moins cher!

Entre 150€ et 300€: Dans cette gamme, nous nous penchons sur quelques très bons télescopes. Faites de votre mieux pour atteindre les quinze centimètres du niveau d'ouverture, vous ne le regretterez pas! Les Dobson sont de très bons télescopes.

Entre 300€ et 500€:

Maintenant nous pouvons discuter! Ici vous pouvez trouver des télescopes avec entre vingt et vingt cinq centimètres d' ouverture. Personnellement, je préfère les Dobson pour leur facilité d'utilisation, et des vues spectaculaires de galaxies, de nébuleuses et d'amas globulaires.

Orion SkyQuest 8

Entre 500€ et 1000€

Dans cette gamme de prix, vous pouvez envisager de troquer l'ouverture pour un télescope informatisé. Personnellement, je ne le ferais pas, mais cela reste une option. Un Dobson à trente centimètres est un très bon télescope. Dans un ciel sombre, vous pouvez voir les comètes lointaines, et des galaxies sombres. Certaines personnes utilisent même ces télescopes pour rechercher des supernovas inconnues!

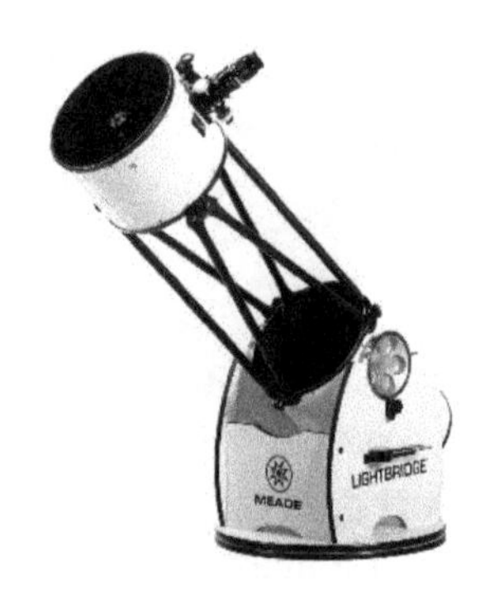

Meade Lightbridge Dobson

Celestron NexStar 6se

A moins de 1 000€, les télescopes avec la fonction go-to ou les télescopes informatisés ont tendance à ne pas avoir plus de quinze centimètres d'ouverture. Cependant, de nombreux télescopes équipé d'un système go-to ont des fonctionnalités intéressantes telles que des visites du ciel et le suivi par satellite.

Difficulté

Voici un guide utile pour mesurer le niveau de difficulté lié à la vue de chaque objet.

☼	Sérieusement, comment avez vous fait pour ne pas l'avoir vu avant?
☼☼	Probablement un des plus gros objets dans le ciel.
☼☼☼	Si vous pouvez la voir, vous serez officiellement un astronome amateur!
☼☼☼☼	Les vrais astronomes envient votre réalisation*
☼☼☼☼☼	Vous avez probablement juste découvert une vrai supernova et êtes subitement le meilleur ami des médias!

*Parfois cela peut prendre des heures de patience pour finalement trouver l'objet que vous cherchiez et cela peut au final ne pas être si spectaculaire, mais ce n'est pas le but. Le but est d'apprécier l'objet que vous voyez! Espérons que ce livre vous aidera à profiter de la véritable splendeur de toutes les choses présentes dans le ciel.

Une remarque sur la couleur

Saviez vous que dans un éclairage terne, l'œil de l'être humain peut uniquement voir en noir et blanc?

C'est seulement en utilisant une caméra digitale que les galaxies et les nébuleuses se colorent. Beaucoup d'images d'objets visibles à l'aide de télescopes professionnels ne sont même pas dans des longueurs d'onde que l'œil humain peut voir! Dans ce cas, les astronomes professionnels déterminent une couleur que l'œil humain *peut* voir à cette longueur d'onde de lumière particulière. On l'appelle souvent fausse couleur ou couleur représentative.

Ce livre parle de ce que **vous** pouvez VOIR au travers d'un télescope. Nullement de ce qu'un appareil photo peut imaginer. Les astronomes qui se concentrent sur l'astronomie visuelle se réfèrent souvent à une « belle tâche », car sans un appareil photo c'est ce à quoi la plus part des objets du ciel profond ressemblent.

Pour cette raison, ce livre est différent de la plus part des autres livres d'astronomie pour débutants. J'ai choisi de garder la version imprimable en noir et blanc, ce qui vous permet d'économiser, les astronomes en herbe, près de 15€ que vous pourrez mettre dans votre nouveau télescope!

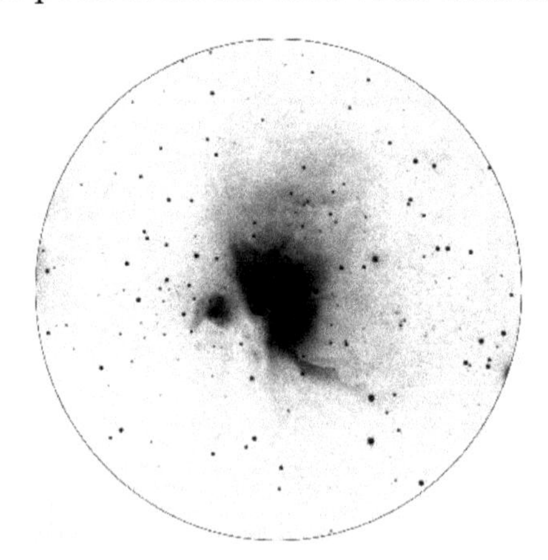

Une belle tâche!

Les choses dont vous aurez besoin pour continuer

1. Ce télescope que vous avez eu pour Noël (ou Hanukkah ou votre anniversaire).

2. Une compréhension basique de comment régler le focus et le diriger vers les éléments lumineux dans le ciel. Veuillez vous référer au mode d'emploi de votre télescope pour plus de détails.

3. Une application sur l'observation des étoiles telle que "Stellarium" pour Mac et PC, disponible sur http://www.stellarium.org ou sur Apple store.Vous aurez besoin d'une application sur l'observation des étoiles pour déterminer la localisation de beaucoup d'objets mentionnés dans ce livre. En règle générale, les planètes ne suivent pas de calendrier annuel. Vous aurez donc besoin d'un logiciel pour trouver la localisation actuelle d'une planète dans le ciel.

4. Vous aurez besoin d'une filtre solaire si vous prévoyez d'utiliser votre télescope pour regarder le soleil. Lorsque vous regardez le soleil veillez à TOUJOURS utiliser un filtre solaire par dessus la **lentille** ou le miroir **primaire.** Ces filtres peuvent être achetés sur un site de vente en ligne de télescope tel que :

http://www.telescopes.com

Ne jamais utiliser un filtre solaire qui ne couvre que vos yeux. La lumière du soleil vous brûlera au travers du filtre et VOUS DEVIENDREZ IMMEDIATEMENT AVEUGLE.

1. L'étoile du nord (Polaris)

Beaucoup de gens ont des présomptions incorrectes sur l'étoile du nord. Des personnes pensent qu'il s'agit de la plus grosse étoile dans le ciel. J'ai même eu des gens qui se sont chamaillés avec moi sur quelle étoile était l'étoile du nord, certains d'entre eux me pointant même Sirius (qui est généralement au sud) simplement parce qu'il s'agissait de l'étoile la plus lumineuse qu'ils puissent voir à cet instant. En réalité, l'étoile du nord est la 48eme plus lumineuse étoile du ciel étoilé!

Pour trouver l'étoile du nord, suivez les deux étoiles qui forment l'avant de la coupe de la grande ourse jusqu'à l'étoile suivante la plus brillante (comme montré dans le diagramme ci-dessous). L'étoile du nord est en fait ce qui est plus communément appelé une étoile binaire visible. Avec votre télescope vous pourriez même être capable de distinguer la seconde étoile appelée Polaris B!

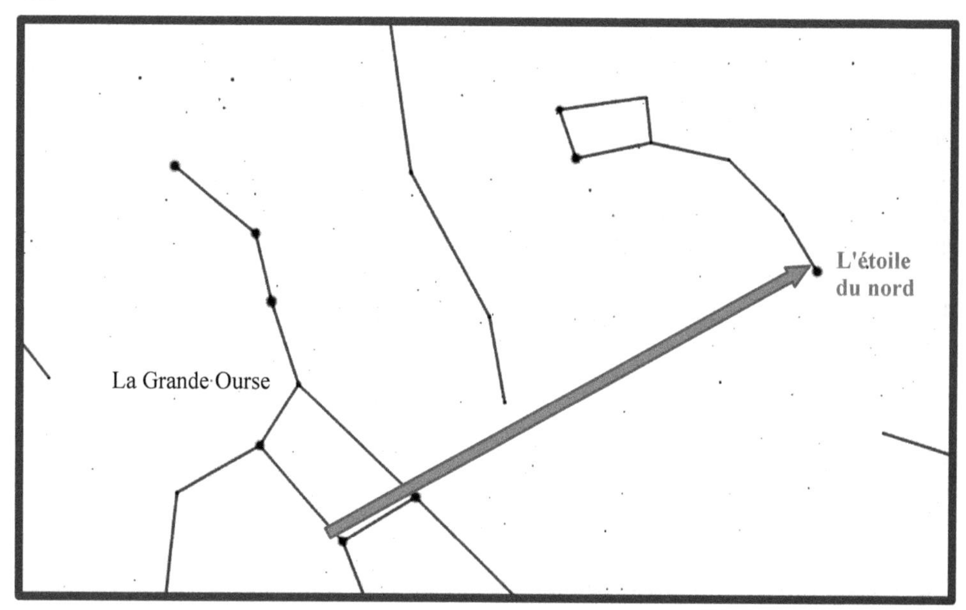

L'étoile du nord est très importante pour les personnes qui possèdent un télescope monté en plan équatorial dans l'hémisphère nord. Afin que ce type de monture fonctionne correctement, un axis doit être pointé directement vers cette étoile.

Toutes mes excuses au australiens, brésiliens et tous les autres de l'hémisphère sud pour mentionner des objets que vous ne pourrez pas voir depuis votre pays.

2. L'arc vers Arcturus puis l'épi vers Spica!

Commençant au printemps, “l'Arc vers Arcturus puis l'épi vers Spica” est une bonne formule mémo-technique alors que vous commencez à naviguer autour du ciel oriental. En créant un arc avec la poignée de la Grande Ourse et en le suivant à travers le ciel pour arriver à la brillante étoile Arcturus, vous pouvez ensuite redresser votre arc pour sauter au-dessus de l'étoile bleutée, Spica.

Arcturus est une étoile géante orange et la 4eme plus lumineuse étoile du ciel ; alors que Spica est un géant bleu et la 15eme plus brillante étoile. Spica réside dans la constellation Virgo, alors qu'Arcturus est localisée dans le Bouvier.

Arcturus est une étoile très intéressante car au cours de sa vie, elle bougera de manière visible à l'œil nu, par rapport aux autres étoiles (près d'un septième du diamètre de la Lune en 100 ans). En fait elle bouge à plus de 145 km par seconde, si rapidement qu'en un demi million d'années ou presque, elle aura disparu de la vue de tous!

Spica est à la fois en rotation et variable (augmentation et diminution de la luminosité). A son équateur, elle tourne à près de 200 Km/h et change de luminosité très légèrement à chaque rotation.

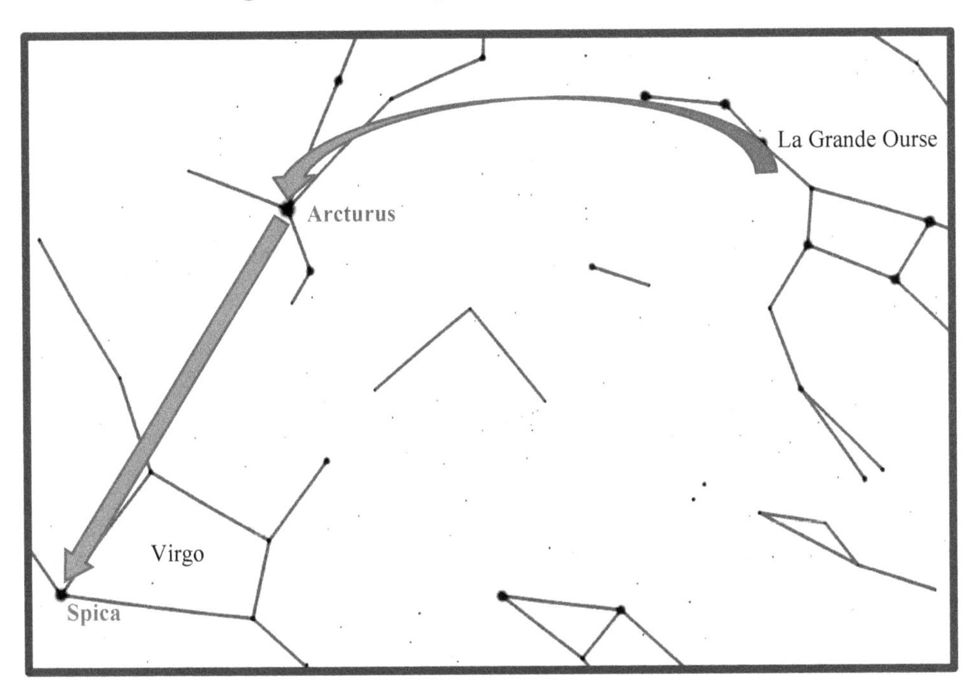

Difficulté: ☼

3. Bételgeuse

Oui Bételgeuse, quelque part dans le voisinage de laquelle, *Le Guide de l'auto-stoppeur de la galaxie* est dit avoir été écrit! Les enfants adorent cette étoile, principalement parce que son nom a la même sonorité que Beetlejuice (un film inspiré par le nom de l'étoile).

Cette grosse étoile rouge est une surprise pour ceux qui pensent que toutes les étoiles sont blanches (moi même inclus, jusqu'à il y a quelques années lorsque je me suis vraiment intéressé à l'astronomie). Elle varie également en luminosité au fil du temps. Elle est généralement la 8eme étoile la plus brillante du ciel, mais elle peut également être aussi brillante que la 6eme, ou aussi sombre que la 20eme!

Bételgeuse est facile à trouver puisqu'il s'agit de l'étoile brillante près du haut de la constellation d'Orion. Lorsque qu'on l'a regarde au travers d'un télescope, il est facile de voir à quelle point elle est rouge. Pour contraster sa rougeur, faites un plan avec le télescope vers le bas jusqu'à Rigel, une étoile bleue décrite dans la prochaine section.

Les éléments dans la constellation d'Orion sont plus visibles pendant l' automne et l'hiver. La plupart des gens trouvent Orion en trouvant les trois étoiles brillantes dans une rangée qui composent la ceinture d'Orion.

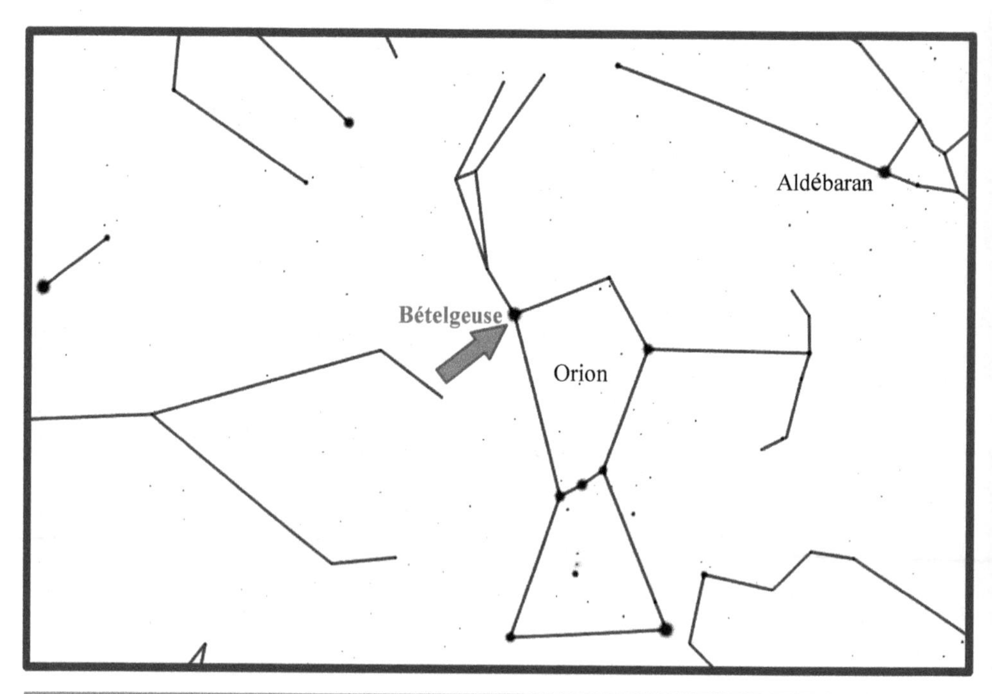

Difficulté: ☼

4. Rigel

Pas une, ni deux, mais trois étoiles composent ce point de lumière trouvé au pied d'Orion. Si vous avez des ciels très sombres, il est possible de séparer l'étoile A (la supergéante bleue) et une étoile B (une étoile compagne beaucoup plus faible). Cependant, l'étoile C orbite très près de l'étoile B et il est impossible de pouvoir dissocier B de C en utilisant un petit télescope.

Bon, s'il y a trois étoiles, il doit y avoir beaucoup de planètes, non ? L'auteur de Star Trek semble vraiment le penser. Les planètes appelées Rigel X ou Rigel II ou Rigel VII font de Rigel l'endroit le plus populaire de l'univers de Star Trek !

Depuis mai 2013, il n'y a eu aucune planète découverte autour de Rigel. Cependant, des milliers de nouvelles planètes sont découvertes chaque années. Vous pouvez trouver une base de donnée à jour de ces découvertes sur : http://exoplanets.org/

Tout en observant, contrastez la couleur et la luminosité de Rigel par rapport à Bételgeuse.

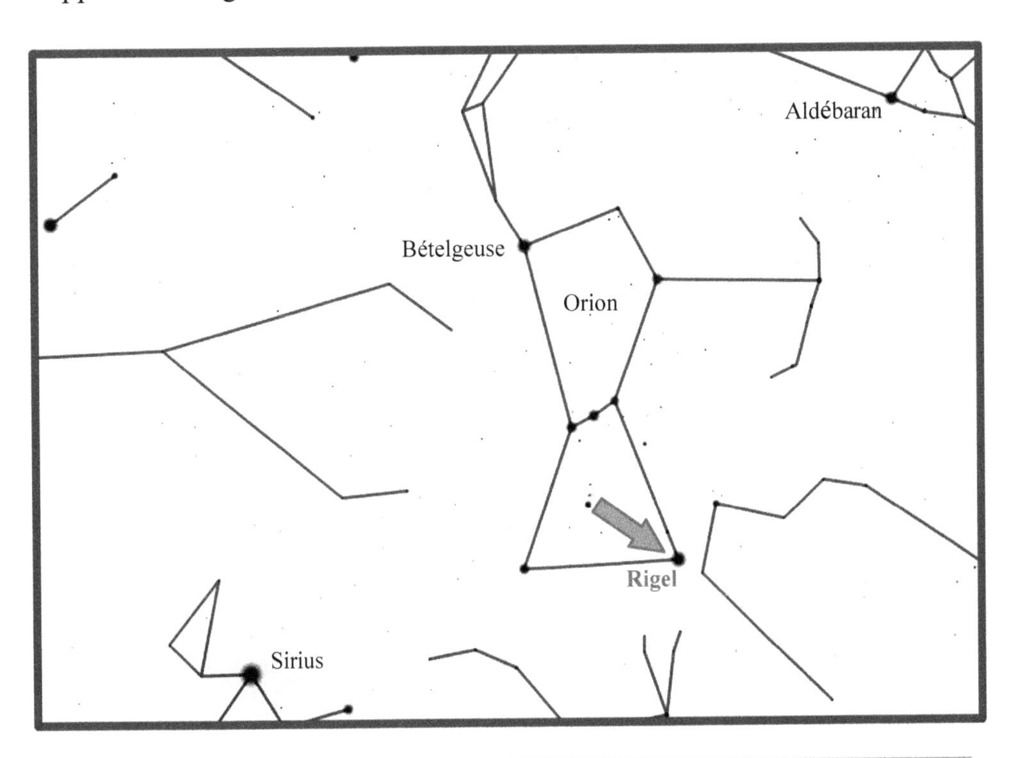

Difficulté: ☼

5. Sirius

Sirius est le premier arrêt de la tournée d'Harry Potter (beaucoup de noms d'étoiles et de constellations sont cités dans les livres d'Harry Potter)! Cette étoile est deux fois plus brillante que toute autre étoile dans le ciel et ruinera complètement votre vision de nuit sur les trente prochaines minutes! Sirius est en fait si incroyablement brillante, que sur de hautes altitudes, elle peut être vue en journée!

Cette étoile est surnommée l'"*étoile du chien*" en raison de son importance proéminente dans la constellation du Grand chien. Elle a inspiré la phrase anglaise "Dog days of summer" (*grandes chaleurs d'été*).

Sirius est située sur la gauche de la constellation d'Orion et peut être vue en bonne place dans le ciel austral pendant l'hiver et au début du printemps.

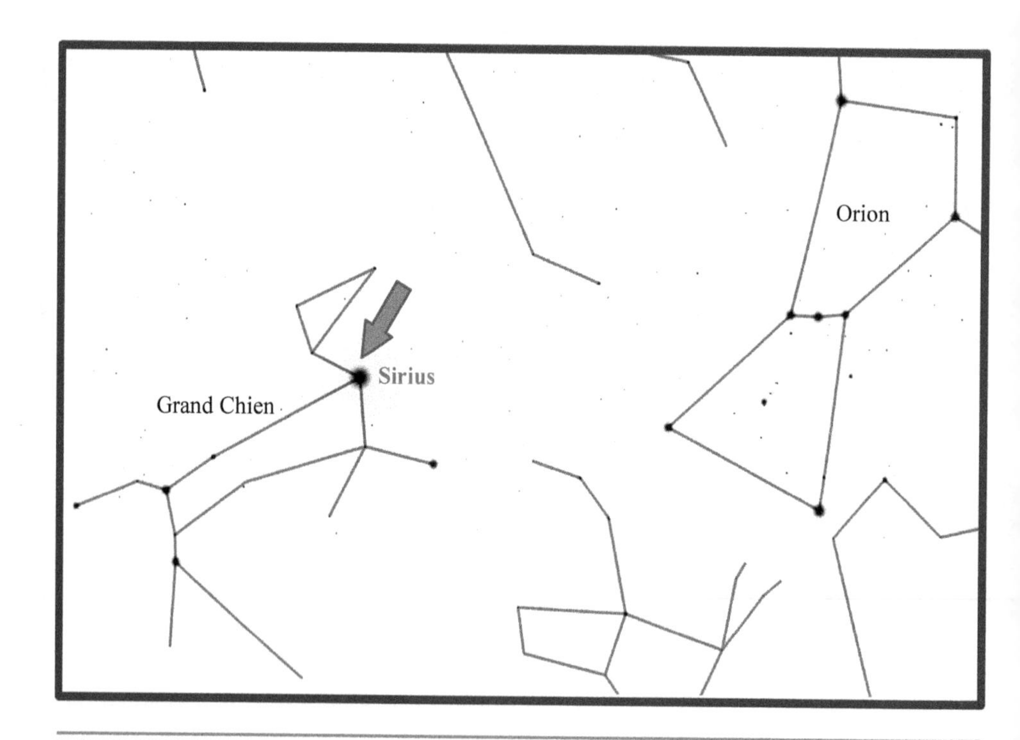

Difficulté: ☼

6. Gémeaux - Castor, Pollux, et les météores

La constellation des Gémeaux est mieux visible durant l'hiver et le printemps dans le ciel occidental après le coucher de soleil et ressemble à une photo de jumeaux se tenant la main. L'étoile du Castor et Pollux forment la tête de ces jumeaux.

L'étoile Castor, la tête du jumeau de droite, est une double étoile lorsqu'elle est observée au travers du télescope. Mais Castor est en réalité un sextuple système d'étoile, composé de six étoiles liées ensemble par gravité. Cependant, ces six étoiles peuvent seulement être séparées par un très puissant télescope, ou au travers de la spectroscopie (cassant la lumière en différentes longueurs d'onde).

L'étoile Pollux, la tête du jumeau de gauche était une des "grandes étoiles" comme notre soleil. Cependant, elle a brûlé tout son hydrogène et s'est étendue en étoile "géante" de plusieurs fois la taille du rayon de notre soleil. Cela donne à l'étoile sa couleur organique. Pollux est aussi la plus brillante des étoiles visibles ayant une planète en orbite (bien que cela puisse changer puisque de nouvelles planètes son découvertes en permanence).

A la mi décembre, les géminides, une plus de météorites, est une des pluies de météorites des plus prolifiques de l'année.

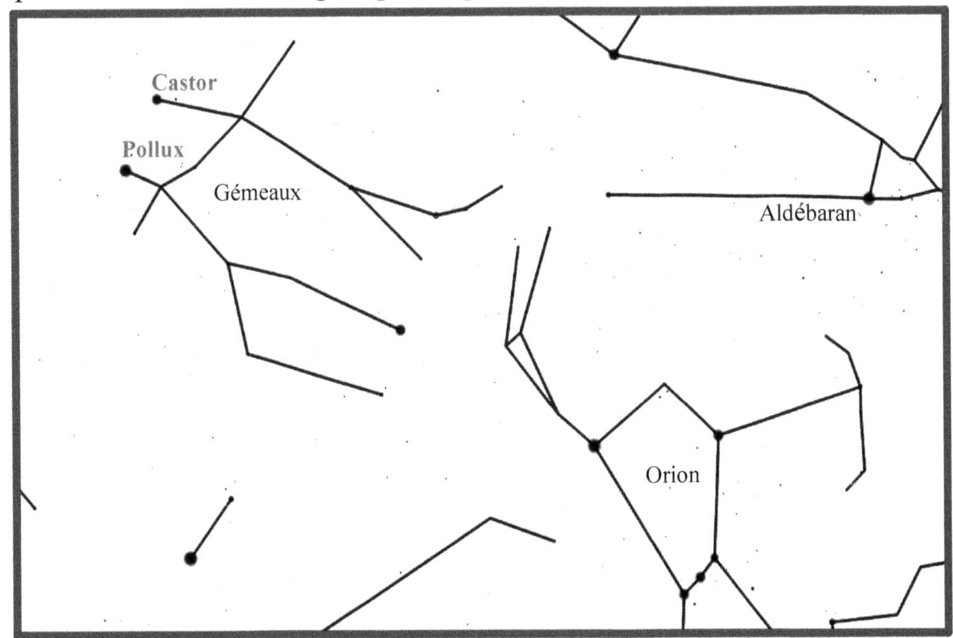

Difficulté: ☼

7. La voie lactée!

Si vous êtes un astronome amateur (si vous possédez un télescope, il s'agit de vous) et que vous ne pouvez pas trouver la voie lactée, et bien, je pense que vous avez besoin de ciels plus sombres! En fait, toutes les étoiles que vous voyez dans le ciel de nuit font partie de la voie lactée. Habituellement, lorsque quelqu'un dit qu'il peut voir la voie lactée, il se réfère au *plan* de la voie lactée. Vous pouvez clairement voir ce plan dans la photo jointe ci-dessous.

Si vous vivez dans une zone avec de la pollution lumineuse, vous ne pourrez probablement par voir le fond blanc qui constitue le plan de la voie lactée. En fait, le nombre maximum d'étoiles visibles dans le ciel à partir d'une grande ville est d'à peu près une douzaine. En campagne, si vous vouliez compter toutes les étoiles, vous devriez en avoir près de 6000 lors d'une nuit sans Lune. La voie lactée contient entre 300 et 400 milliard d'étoiles! C'est la raison pour laquelle elle apparaît comme une traînée blanche dans de véritables ciels sombres.

Si vous pouvez voir des étoiles, vous regardez la voie lactée. Mais si vous regardez avec votre télescope vers le plan de la galaxie, les étoiles apparaîtront bien plus nombreuses.

Une des façons d'explorer le plan de la voie lactée est de commencer à un horizon et de regarder tout le long jusqu'à l'autre, on ne sait jamais ce que vous pourriez trouver.

Photo de l'auteur

Difficulté: ☼

8. Le dragon

Le dragon, oui, il s'agit bien d'un autre arrêt le long du chemin de la tournée astronomique d'Harry Potter. Mais puisque toutes les étoiles de la constellation du dragon sont assez faibles, elles ne sont pas la raison pour laquelle cet article est sur cette liste.

Si vous regardez la constellation, vous verrez la tête du dragon. Eh bien, chaque octobre, ce dragon crache du feu! Les draconides d'octobre est le nom donné à des météores qui semblent être tirées de la tête du dragon.

Pour une photo sympa, mettez votre appareil photo sur un trépied et prenez une série de 30 secondes d'expositions toute la nuit. Si vous ne disposez pas d'un appareil photo avec réglage manuel, il suffit d'utiliser le réglage pour feux d'artifice. Vous pourriez ainsi obtenir une photo digne d'intérêt de ce réel dragon cracheur de feu.

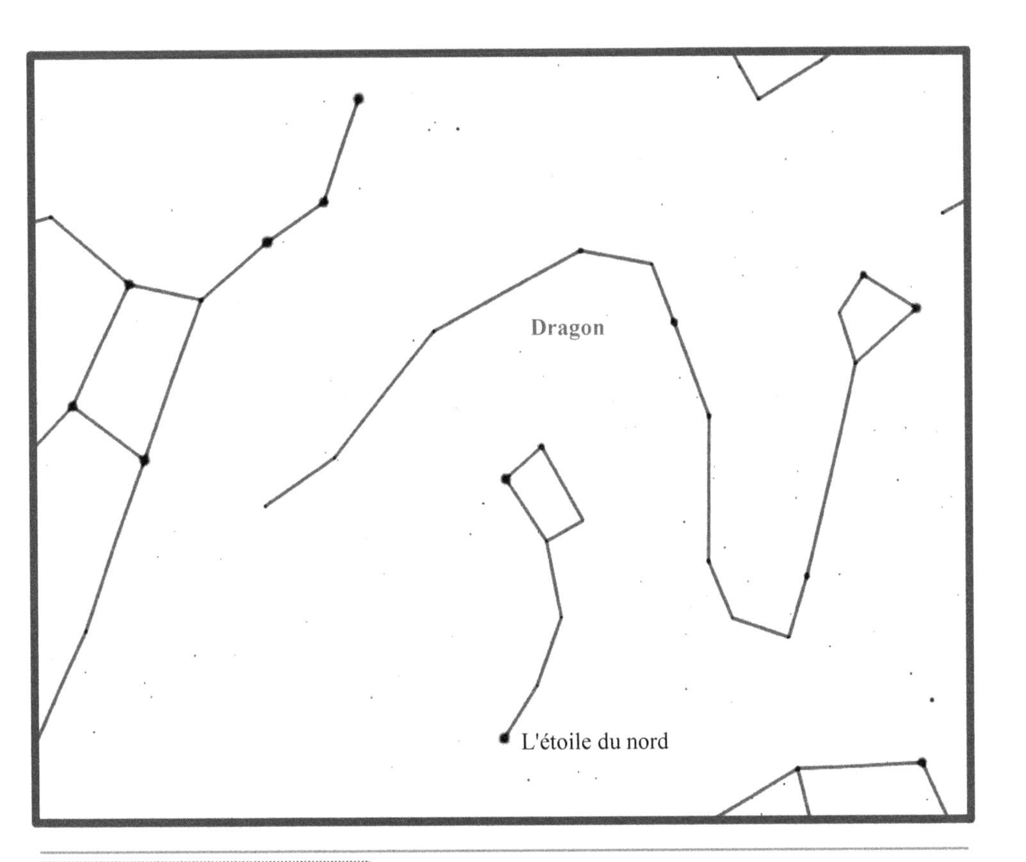

Difficulté: ☼☼

9. Altair et le traingle d'été

Le Triangle d'été (ou que ma femme appelle, "The Great Pizza Slice" *La bonne part de pizza*) est une partie intéressante du ciel car il chevauche le plan de notre galaxie. Pour cette raison, il est rempli de nombreux objets à découvrir lorsque vous plongerez plus profondément dans l'astronomie, et passerez à de plus grands télescopes. Le Triangle d'été est aussi une autre façon d'apprendre les chemin autour de quelques objets importants dans cette partie du ciel. Le Triangle d'été est décrit par les trois étoiles: Véga, Deneb et Altaïr.

Altair est probablement l'étoile la plus utilisée dans la fiction. Une raison à cela est sa proximité à la Terre. A seulement 16,7 années-lumière de distance, elle est l'une des plus proches étoiles brillantes. Dans *Le Guide du voyageur galactique*, les Altairian dollars sont la monnaie utilisée tout au long du livre. Altaïr est également mentionnée dans plusieurs épisodes de Star Trek, ainsi que dans *Star Trek, La colère de Khan*. Elle est également mentionnée dans quelques épisodes de *Doctor Who*.

Malheureusement, il n'y a actuellement aucune planète qui n'ait été découverte en orbite autour d'Altaïr. Cependant, cela pourrait changer avec le lancement d'un vaisseau spatial appelé TESS (Transitage Exoplanet Survey Satellite), qui sera lancé en 2017. TESS scannera en continu environ deux millions des étoiles les plus proches à la recherche de planètes comme la Terre.

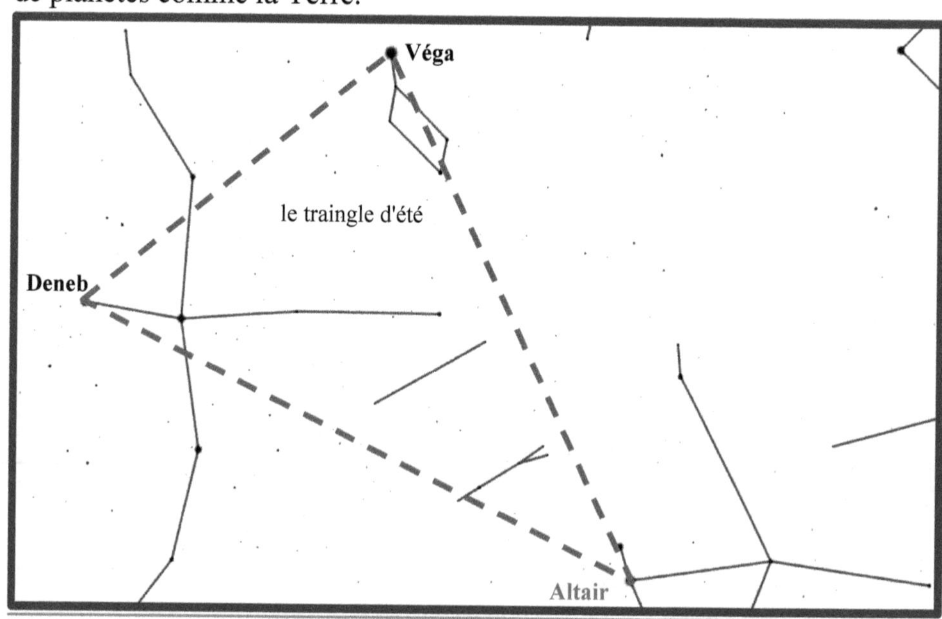

Difficulté: ☼

10. Véga

Oui, la planète natale de Jodie Foster; je plaisante (Le réseau radio extraterrestre étranger dans le livre et le film *Contact* se passe sur Véga).

Fait intéressant, Véga était l'étoile du Nord il y a environ douze mille ans et elle le sera à nouveau dans près de douze mille ans. Cela est dû à la précession de la Terre autour de son axe.

La précession est une propriété des objets en rotation. Vous pouvez observer la précession directement en faisant tourner des jouets comme un gyroscope. Un gyroscope se précessera, si vous appuyez dessus, au moyen d'une oscillation lisse. Pour la Terre, la précession est principalement le résultat de l'influence gravitationnelle du Soleil et de la Lune.

Véga est l'étoile la plus brillante dans la constellation de la Lyre, et est visible, haut dans le ciel, pendant l'été. Il y a aussi dans cette constellation la célèbre Nébuleuse de l'anneau (tel que décrit dans la section suivante).

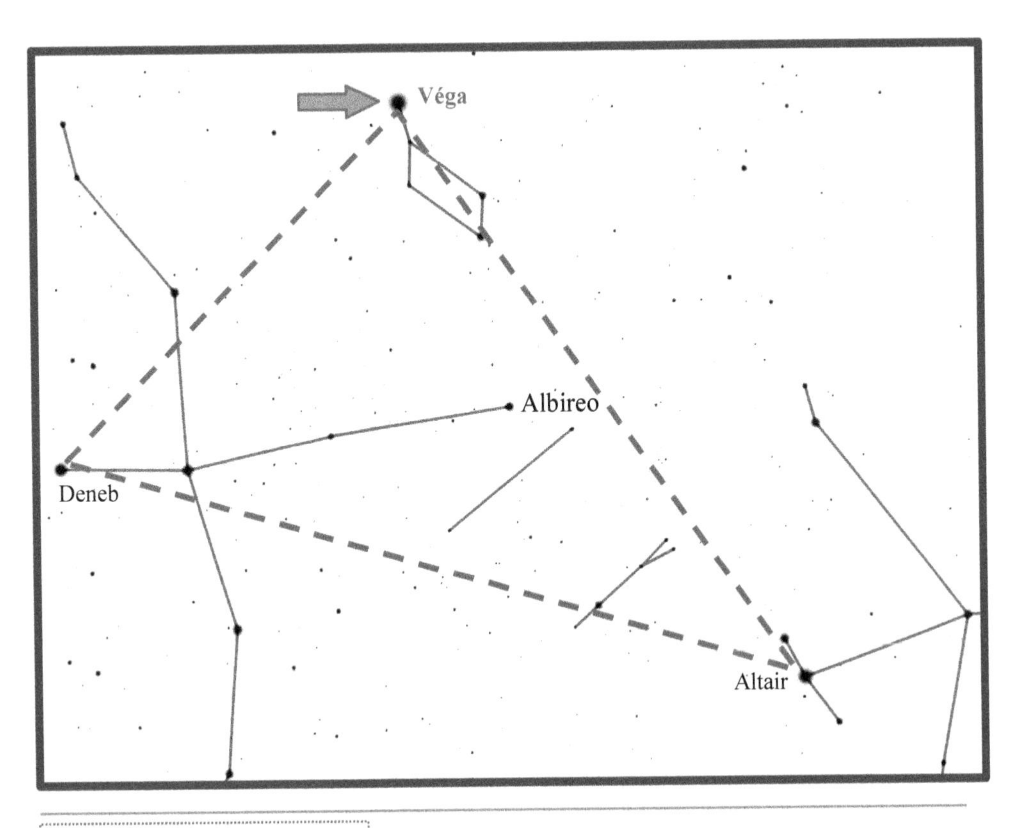

Difficulté: ☼

11. La Lune

Vous ne pouvez pas la louper! Même avec le plus petit télescope, vous devriez être capable de voir les cratères en surface.

Une fois, j'ai utilisé un de ces télescopes que l'on achète en magasin non spécialisé pour 13,99€ pour essayer de filmer la mission de la NASA, « Lcross ». Dans cette mission, la NASA a fait s'écraser un engin spatial sur la Lune en tentant de créer un panache de poussière de lune qu'elle pourrait ensuite analyser pour chercher des traces d'eau. Le crash était sensé créer un flash de lumière visible de la Terre, mais je n'ai rien vu. Il a été établi que la raison pour laquelle le crash n'avait pas été visible était à cause de l'engin spatial (qui s'est écrasé dans un cratère du sud) qui a fait un impact dans le sol lunaire qui a la consistance de la neige!

La Lune est visible durant près de la moitié du mois dans la nuit. Si vous y réfléchissez, cela a du sens car, comme la plupart d'entre nous le savent, la Lune orbite autour de la Terre en 27 jours. Je suis souvent surpris lorsqu'en nuits sans Lune, des gens semblent penser qu'il est possible de voir la Lune avec un télescope. Pour clarifier la chose, si vous ne pouvez pas voir la Lune sans un télescope, vous ne pouvez pas la voir avec.

La Lune au travers d'un petit télescope

Difficulté: ☼

12. Mercure

En raison de l'extrême proximité de Mercure et du Soleil, cette planète peut être extrêmement difficile à apercevoir. Elle n'apparaît dans le ciel du soir que pour quelques jours chaque année. Comme avec Vénus, vous pouvez voir Mercure par phases. Ces phases affectent grandement sa luminosité. Lorsque Mercure est visible, elle n'est visible que pour un temps très court, juste avant le lever du soleil et après le coucher du soleil.

Pour trouver le meilleur moment pour voir Mercure, utilisez un logiciel d'astronomie comme Stellarium, cliquez et verrouillez le (appuyer sur la barre d'espace) sur Mercure. Ensuite, utilisez le logiciel pour une avance rapide jusqu'à ce que Mercure soit au-dessus de l'horizon après le coucher du soleil. Ou, suivez les sites d'astronomie pour une notification.

En observant Mercure au travers de votre télescope, elle peut paraître extrêmement lumineuse et même chatoyante comme si elle était en feu. La luminosité apparente de Mercure est liée à sa proximité avec le soleil, mais le miroitement est due à sa proximité avec l'horizon. Lorsque vous regardez des objets qui sont bas dans le ciel, vous regardez au travers de plus d'atmosphère que lorsque les objets sont au-dessus. C'est la distorsion atmosphérique qui donne à l'objet ses reflets.

Mercure imagée par la sonde Messenger

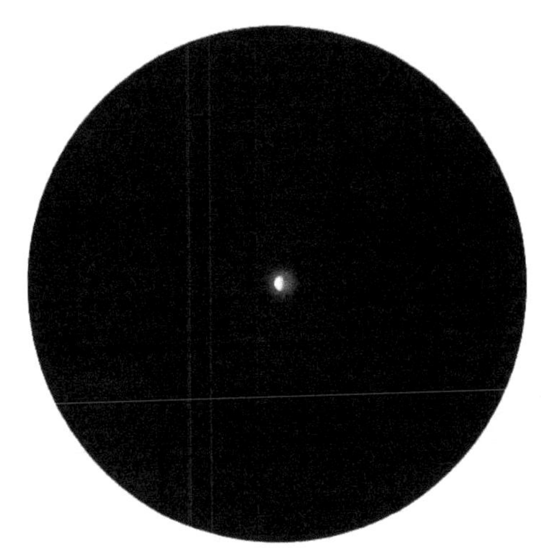

Mercure au travers d'un télescope

Difficulté: ✪✪✪✪

13. Vénus

Ah, Vénus! Cette magnifique planète porte le nom de la déesse romaine de l'amour et de la beauté. Parce qu'elle est plus proche du soleil que de la Terre, Vénus ne monte jamais vraiment très haut dans le ciel étoilé et puisqu'elle est toujours disposée près du soleil, vous pouvez uniquement voir Vénus rapidement après le coucher de soleil ou juste avant le lever du soleil.

Vénus est lumineuse; très lumineuse. En fait, Vénus est une des première sources d'observations d'OVNI pour les pilotes. Ceci est du à une illusion d'optique. Les objets vus a une bonne distance n'apparaissent pas bouger, donc si l'observateur (la personne qui est en train de voir l'objet) est en train de bouger; cela crée l'illusion que l'observateur est suivi par l'objet; dans ce cas-ci, Vénus.

Comme mentionné ci-dessus Vénus peut être vue soit avant le lever du soleil, ou juste après le coucher de soleil. Pour trouver Vénus, référez-vous à l'application Star Walk ou au programme Stellarium pour connaître sa position spécifique.

Pendant que vous regardez dans le télescope, notez que Vénus ressemble de près à la Lune. Cela vient du fait que Vénus a des phases tout comme notre Lune et puisque Vénus est plus près du soleil que de la Terre, nous voyons parfois le côté nuit de Vénus.

Lorsque quelqu'un d'autre regarde au travers de votre télescope et dit “hey, je vois la Lune!” demandez lui de s'écarter du télescope et faites lui observer dans quelle direction le télescope est pointé.

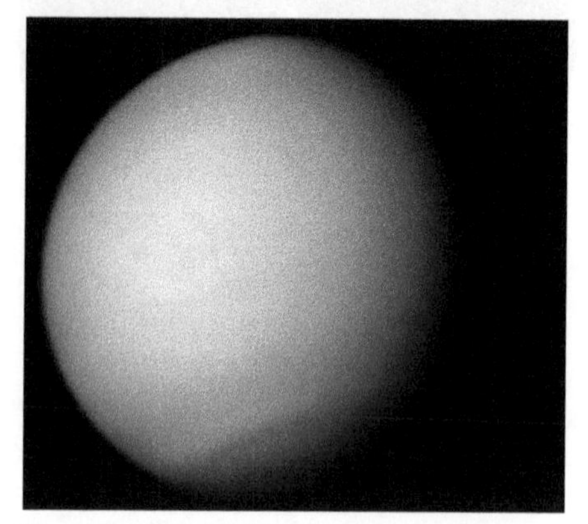

Vénus photographiée par la sonde Galilée

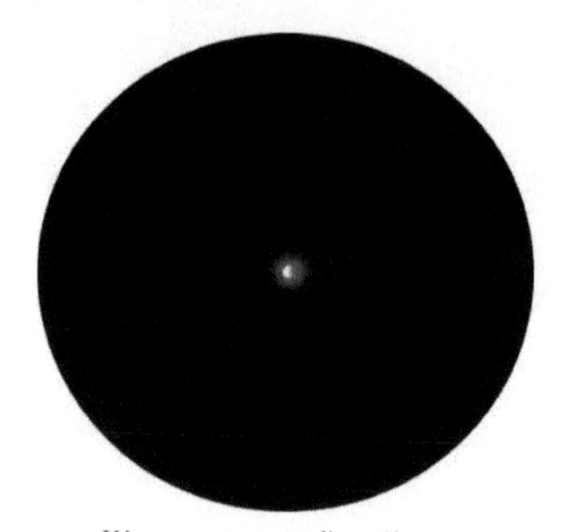

Vénus au travers d'un télescope

Difficulté: ☼☼

14. Mars

Pour sur cela peut ressembler à un simple disque rouge dans votre télescope, mais hey, il s'agit de Mars! Continuez à regarder, et concentrez-vous et peut être vous réussirez à voir les calottes polaires et des couleurs variantes sur le sol martien.

C'est génial de réaliser qu'il y a des hommes et des femmes ici sur Terre (au Jet Propulsion Laboratory de la NASA dans le comté de Los Angeles) pilotant à distance des engins de la taille de petits SUV et de voitures de golf, sur la surface de Mars.

Puisque Mars est une planète, vous la trouverez le long de l'écliptique*. Comme avec toutes les planètes, consultez le logiciel d'astronomie comme Star Walk ou Stellarium pour une localisation précise. Si vous savez déjà que Mars est visible, consultez l'écliptique pour regarder une étoile au rouge profond.

*Qu'est ce que l'écliptique? Puisque toutes les planètes voyagent autour du soleil d'après approximativement le même plan orbital, elles apparaîtront toutes dans une tranche spécifique du ciel nocturne ; comme un avion qui prend toujours la même route. Ce chemin est appelé l'écliptique et il court de l'horizon Est à l'Ouest. C'est également le chemin que le soleil suit durant la journée.

Mars photographiée par Hubble

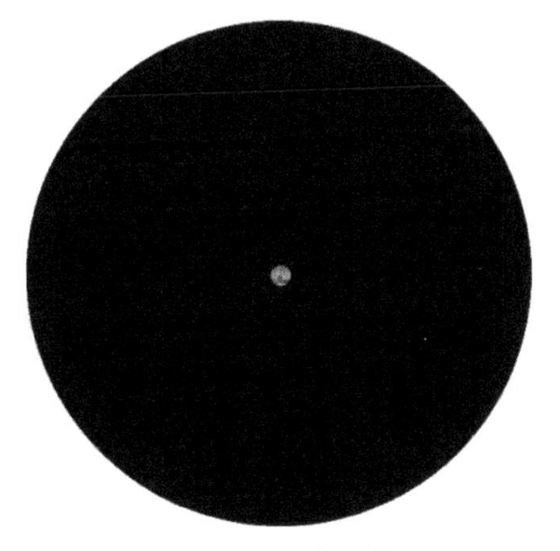

Mars au travers d'un télescope

Difficulté: ☼☼

15. Jupiter

Si vous voulez être impressionné, jetez un œil à Jupiter et ses quatre plus larges lunes: Europe, Io, Ganymède et Callisto! Durant la moitié de l'année, Jupiter est une de premières choses qui apparaisse dans le ciel nocturne après l'obscurité. Cela en fait une cible idéale pour régler votre télescope et aligner votre chercheur tôt dans la soirée.

Jupiter est une énorme planète, plus de deux fois et demi la masse des autres planètes du système solaire combiné. Avec un petit télescope, une bonne mise au point, vous ne serez pas seulement capables de voir les quatre lunes découvertes par Galilée en 1610 ; vous pourrez également voir les deux bandes les plus prononcées de nuages sur la planète elle-même.

Pour trouver Jupiter, cherchez l'un des objets les plus brillants dans le ciel sur l'écliptique (le chemin des planètes dans le ciel d'Est en Ouest), ou simplement consultez Star Walk, Stellarium, ou d'autres logiciels d'astronomie. Utilisez un support oculaire puissant pour une visualisation optimale. Comme vous pouvez le voir à partir de la photo d'enfant ci-dessous, Jupiter est également un bon objet pour s'entraîner à l'astrophotographie !

Jupiter au travers d'un télescope

Jupiter photographiée par un enfant âgé de 3 - 12 / Librairie de LafayetteAstroblast – le 30 janvier 2013

Difficulté: ☼☼

16. Europe

Les lunes de Jupiter ont besoin d'un paragraphe à elles seules tellement elles sont intéressantes.

Europe est la plus petite des quatre lunes découvertes par Galilée, mais je pense qu'elle est la plus intéressante. Tout ça parce qu'elle possède de l'eau; beaucoup d'eau. Les dernières estimations indiquent que sous une surface de glace, il y a un océan liquide de cent kilomètres de profondeur. Par cette estimation, Europe a deux fois plus d'eau liquide qu'ici sur Terre!

La lune de Jupiter change de position chaque nuit. Généralement, il est difficile de reconnaître chaque lune en utilisant un petit télescope. La meilleure façon de dire quelle lune est Europe est d'utiliser un logiciel d'astronomie. Malheureusement, Star Walk n'indique pas la localisation des lunes de Jupiter. Vous devrez utiliser une autre application telle que *Star-Rover* ou Stellarium.

Jupiter et ses lunes – (l'orientation de la lune change toutes les nuits)

Photographie d'Europe par la sonde Galilée

Difficulté: ☼☼

17. Io

Avez-vous lu le livre *Ilium* de Dan Simmons? Et bien vous devriez car l'acteur principal (un robot d'extraction) vient de cette lune.

Parmi les lunes de Jupiter découvertes par Galilée, Io est celle qui orbite le plus près de Jupiter. Io a également le corps le plus actif géologiquement du système solaire, comprenant plus de 400 volcans actifs!

Io photographiée par la sonde Galilée

Difficulté: ✫✫

18. Callisto

Faites vos valises, car Callisto pourrait bien être votre nouvelle maison!Cette lune a le plus bas niveau de radiation des grandes lunes de Jupiter, et ferait un emplacement prometteur pour le peuplement humain! Cela ne sera possible que si vous pouvez supporter des journées de 400 heures. Si vous visitez un jour Callisto, n'essayez pas de rester debout toute la nuit!

Quand vous regardez Jupiter, Callisto est généralement la lune qui apparaît la plus éloignée de la planète. Elle orbite si loin qu'il est facile de la confondre avec une étoile en arrière plan.

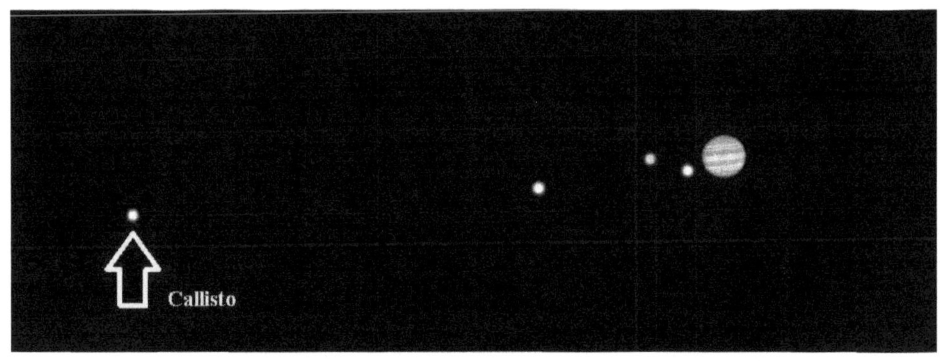

Callisto photographiée par la sonde Galilée

Difficulté: ☼☼

19. Ganymède

Rendue célèbre par la série de 1993 “Power Rangers”, cette lune a abrité l'endroit où se trouvait la flotte de Zord et ses Méga véhicules.

Plus intéressant, Ganymède est la plus grande lune du système solaire. Elle fait deux fois la masse de la Lune de la Terre!

Pour trouver Ganymède, regardez de plus près pour voir quelle lune de Jupiter est la plus grosse et la plus brillante. Mais, pour être sûre, consultez votre logiciel d'astronomie en guise de confirmation.

Ganymède photographiée par la sonde Galilée

20. Saturne

Un regard de Saturne et vous pourriez échanger votre voiture pour un télescope de la même valeur. Ou pas. Dans tous les cas, c'est un signe.

En fait, Saturne est si géniale que le jour le plus génial de la semaine a été nommé en anglais d'après elle. En effet, *Saturday (*Samedi), ou plutôt comme vous devriez à partir de ce jour l'appeler, Saturn-is-Awesome-Day (Saturne-est-génial-journée).

Comme avec toute planète, premièrement consultez Stellarium ou une autre application afin de vous assurer qu'elle est assez haute dans le ciel nocturne. Elle se trouvera le long de l'écliptique et apparaîtra de couleur jaune.

Saturne photographiée par la sonde Cassini

Saturne au travers d'un télescope

Difficulté: ☼☼

21. Titan

Titan est la plus grosse lune de Saturne. Quelle meilleure place pour sortir de la distorsion et éviter la détection par un vaisseau Romulien dans le film de science fiction *Star Trek 11*.

Le plus intéressant à propos de Titan est que la gravité est si basse et l'atmosphère si épais, qu'en attachant des ailes à vos bras vous pourriez voler comme un oiseau!

La NASA a également fait atterrir une petite sonde à la surface de Titan. Le 14 janvier 2005 une toute petite sonde appelée *Huygens* a pénétré l'épaisse atmosphère de Titan puis a été parachutée à la surface. La sonde a pris des photos sur toute la descente et une photo à la surface (montré sur la droite).

Au moment ou ce livre est écrit (2013), Saturne est une étoile de printemps et d'été. Si vous consultez ce livre dans un future lointain, merci de vous référer à votre logiciel d'observation des étoiles pour la localisation précise.

Pour trouver Titan, premièrement, trouvez Saturne. Une fois que vous avez trouvé Saturne, Titan orbitera juste à côté d'elle.

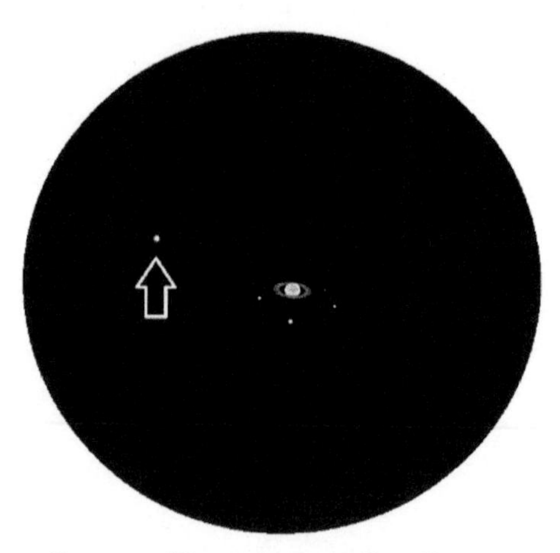

Saturne et Titan au travers d'un télescope

Difficulté: ✩✩✩

22. Uranus

Pour le grand public, la chose la plus intéressante sur Uranus est son nom. Bien que la plupart des prononciations soient maintenant considérées comme acceptables (même les drôles). Bien que cela semble drôle pour nous, son nom est très logique. Saturne, est le père de Jupiter, et ainsi, Uranus est le père de Saturne.

Parce que Uranus est si loin du soleil, elle restera sur la même partie du ciel durant nos vies entières. Pour le XXIe siècle, le meilleur moment pour la voir est le début de l'automne.

Pour trouver Uranus, vérifiez d'abord votre logiciel d'astronomie pour trouver l'emplacement précis. Utilisez un oculaire de faible grossissement pour la trouver la première fois, puis passez à un oculaire d'un plus fort grossissement pour vous focaliser sur la planète et sur sa teinte.

Uranus photographiée par la sonde Voyager 2

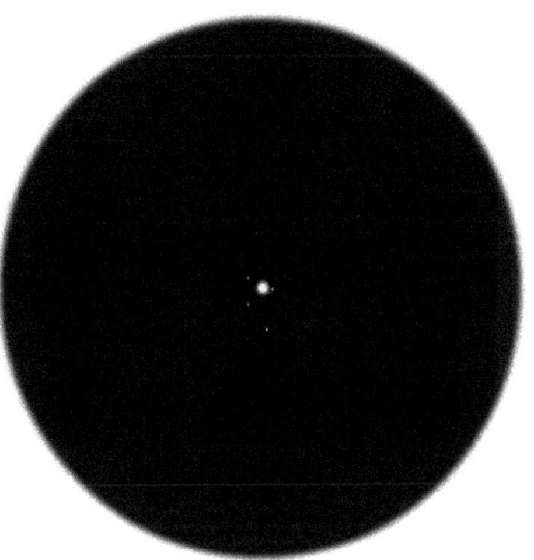

Uranus au travers d'un télescope

Difficulté: ✩✩✩✩✩

23. Neptune

Maintenant que Pluton a été rétrogradée à un "planète naine" par l'Union astronomique, Neptune est la planète la plus lointaine du Soleil (dans notre système solaire). Comme avec les autres planètes du système solaire, à l'exception de la Terre, cette planète est nommée d'après un dieu romain, dans ce cas, le dieu de la mer.

Neptune est très pâle, l'un des plus pâles objets dans ce livre. Toutefois, puisqu'elle est bleue, elle peut être distinguée des étoiles d'arrière-plan. Comme avec Uranus, utilisez un oculaire sans beaucoup de grossissement pour trouver la planète. Ensuite, utilisez un oculaire avec un fort grossissement pour obtenir une meilleure vue. Notez que seuls les télescopes qui font quinze centimètres de diamètre ou plus seront en mesure d'obtenir une résolution de Neptune comme un disque. Pour les plus petits télescopes, la planète apparaît comme un point de lumière.

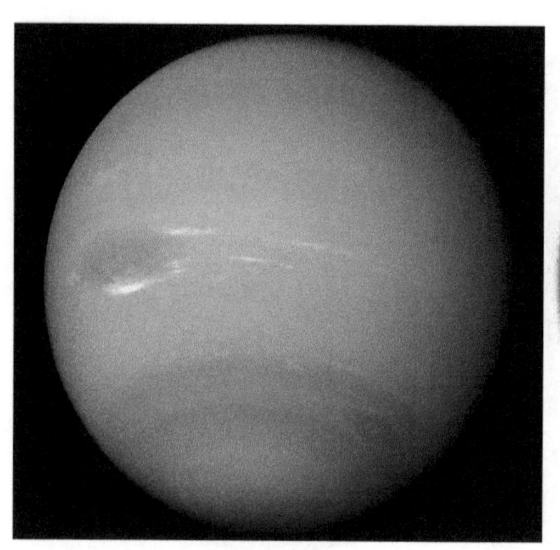

Neptune imagée par la sonde Voyager 2

Naptune au travers d'un télescope

Difficulté: ✩✩✩✩✩

24. Eclipse lunaire

Souvent qualifiée de lune de sang, les éclipses lunaires ne sont pas aussi rares que vous pourriez le penser. Contrairement aux éclipses solaires qui ne sont visibles qu'à certains endroits, les éclipses lunaires peuvent être observées à partir de presque n'importe quel endroit de la Terre par ciel nocturne, en supposant qu'il n'y a pas de nuages sur le chemin.

Une éclipse lunaire se produit lorsque la lune passe dans l'ombre de la Terre. La lumière du soleil passe à travers l'atmosphère de la Terre donnant à la Lune une teinte rougeâtre.

Il existe trois grands types d'éclipses lunaires. Tout d'abord, la plus impressionnante, l'éclipse lunaire totale, où la Lune est totalement immergée dans l'ombre de la Terre. Ensuite, il y a l'éclipse lunaire partielle. Lors d'une éclipse partielle, la Lune est seulement partiellement couverte. Enfin, il y a l'éclipse lunaire pénombrale, où la lumière passant à travers l'atmosphère de la Terre éclaire une partie de la Lune, mais aucune ombre distincte n'est visible. Cependant, les éclipses pénombrales sont souvent difficiles à dissocier d'une pleine Lune régulière.

La page suivante présente un calendrier des éclipses totales et partielles pour l'année 2030.

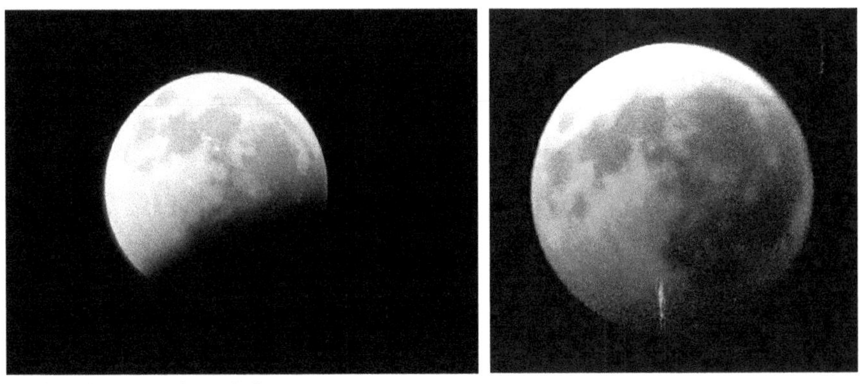

Eclipse lunaire, photo de l'auteur

Difficulté: ☼☼

24.5. Calendrier d'éclipse lunaire

Date du calendrier	Type d'éclipse	Heure de plus forte éclipse (UT ~ UTC)	Durée de l'éclipse	Région géographique et vue de l'éclipse
7 août 2017	Partielle	18:21:38	01h55	Europe, Afrique, Asie, Australie.
31 janvier 2018	Totale	13:31	03h23	Asie, Australie, Pacifique, Amérique du Nord
27 juillet 2018	Totale	20:22:54	03h55	Amérique du Sud, Europe, Afrique, Asie, Australie
21 janvier 2019	Totale	05:13:27	03h17	Centre du Pacifique, Amériques, Europe, Afrique
16 juillet 2019	Partielle	21:31:55	02h58	Amérique du Sud, Europe, Afrique, Asie, Australie.
26 mai 2021	Totale	11:19:53	03h07	Asie du sud-est, Australie, Pacifique, Amériques
19 novembre 2021	Partielle	09:04:06	03h28	Amériques, Europe du Nord, Asie du sud-est, Australie, Pacifique
16 mai 2022	Totale	04:12:42	03h27	Amériques, Europe, Afrique
8 novembre 2022	Totale	11:00:22	03h40	Asie, Australie, Pacifique, Amériques
28 octobre 2023	Partielle	20:15:18	01h17	Côte Est des Amériques, Europe, Afrique, Asie, Australie
18 septembre 2024	Partielle	02:45:25	01h03	Amériques, Europe, Afrique
14 mars 2025	Totale	06:59:56	03h38	Pacifique, Amériques, Europe de l'Ouest, Afrique de l'ouest
7 septembre 2025	Totale	18:12:58	03h29	Europe, Afrique, Asie, Australie
3 mars 2026	Totale	11:34:52	03h27	Asie du sud-est, Australie, Pacifique, Amériques
28 août 2026	Partielle	04:14:04	03h18	Pacifique, Amériques, Europe, Afrique
12 janvier 2028	Partielle	04:14:13	00h56	Amériques, Europe, Afrique
6 juillet 2028	Partielle	18:20:57	02h21	Europe, Afrique, Asie, Australie
31 décembre 2028	Totale	16:53:15	03h29	Europe, Afrique, Asie, Australie, Pacifique
26 janvier 2029	Totale	03:23:22	03h40	Amériques, Europe, Afrique, Moyen Orient
20 décembre 2029	Totale	22:43:12	03h33	Amériques, Europe, Afrique, Asie
15 juin 2030	Partielle	18:34:34	02h24	Europe, Afrique, Asie, Australie

Prédictions d'éclipse par Fred Espenak, GSFC de la NASA

25. Les tâches solaires

Les tâches solaires sont des tourbillons ou des tempêtes liées à l'activité magnétique près de la surface du soleil qui provoque une température plus basse sur une zone donnée.

En quoi les tâches solaires sont géniales? Alors, premièrement, elles sont généralement de la taille de la Terre! Deuxièmement elles sont par deux (une pour chaque pôle magnétic de la perturbation). Troisièmement, elles changent de position tous les jours. Quatrièmement, j'ai une fois pris une photo d'une tâche solaire qui ressemblait à Hawaï.

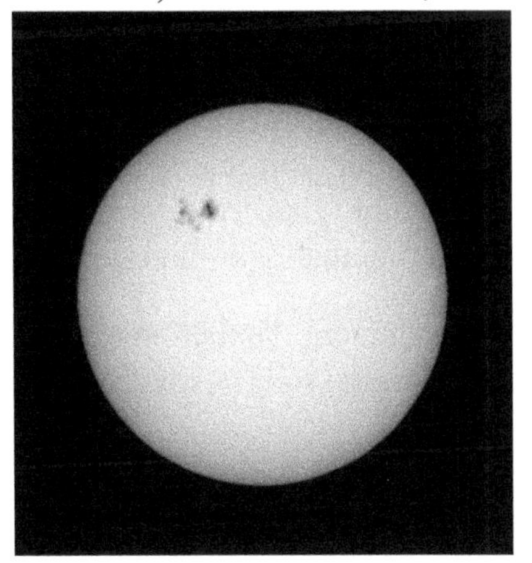

Pour voir des tâches de soleil, utilisez un filtre solaire par dessus votre télescope ou vos jumelles, et ensuite faites un bon réglage sur le soleil. Avec le soleil en focalisation, vous devriez presque toujours être capable de voir au moins une ou deux tâches solaires.

Photographier le soleil avec des jumelles avec filtres solaires et un iPhone

Difficulté: ☼☼☼

26. L'éclipse solaire

Une éclipse solaire se produit lorsque la Lune passe en face du soleil. Compte tenu de l'orbite elliptique de la Lune, parfois l'éclipse se produit lorsque la Lune est plus proche de la Terre, et parfois cela se produit lorsque la Lune est plus loin. Pour cette raison, il y a deux types d'éclipses. Premièrement, il y a l'éclipse annulaire, où la Lune est lointaine et ne peut pas complètement couvrir tout le soleil. Lorsque la Lune orbite près de la Terre et qu'il y a une éclipse, la Lune occultera totalement le soleil et nous pourrons observer une éclipse solaire totale.

Je dois avouer que je n'ai jamais assisté à une éclipse solaire totale, mais j'entends que voir une éclipse solaire totale est une expérience fantastique; l'air devient plus froid, les animaux ont un comportement bizarre, et ça devient notablement plus sombre.

J'ai seulement l'expérience d'une éclipse annulaire, d'où viennent les photos ci-dessous (en utilisant mon iPhone, mes jumelles, et un filtre solaire).

Durant l'heure avant et l'heure après la totalité (totalité est quand la Lune recouvre totalement le soleil. Cela peut durer, n'importe où, de 30 secondes à 6 minutes) vous pouvez voir le soleil au travers de votre télescope en utilisant un filtre solaire.

Les cartes et horaires de toutes les éclipses solaires totales ainsi que les éclipses annulaires jusqu'en 2025 sont inclus dans l'annexe de ce livre. La prochaine éclipse solaire totale qui croisera les Etats-Unis se produira en 2017.

Photo de l'auteur

Difficulté: ☼☼

27. Les Pléiades

Vous pouvez sauter cette partie si vous conduisez une Subaru, car vous voyez ces amas d'étoiles à chaque fois que vous regardez votre volant. Si vous ne conduisez pas de Subaru, alors, les Pléiades peuvent être aperçues à la droite d'Orion (à votre droite, et à la gauche d'Orion).

Des personnes pensent qu'il s'agit de la constellation de la Petite Ourse. Ca ne l'est pas. La vrai Petite Ourse est assez faible, mais considérablement plus grande que les Pléiades, et se trouve dans le ciel du Nord.

Pour trouver les Pléiades, regardez en l'air et à la droite d'Orion, d'habitude, avec une quelconque pollution lumineuse, seulement 6 des 7 plus brillantes étoiles dans les Pléiades sont visibles à l'œil nu. Cependant, aussi tôt que vous regardez dans votre télescope, des douzaines d'étoiles vont devenir visibles!

Les Pléiades au travers d'un télescope

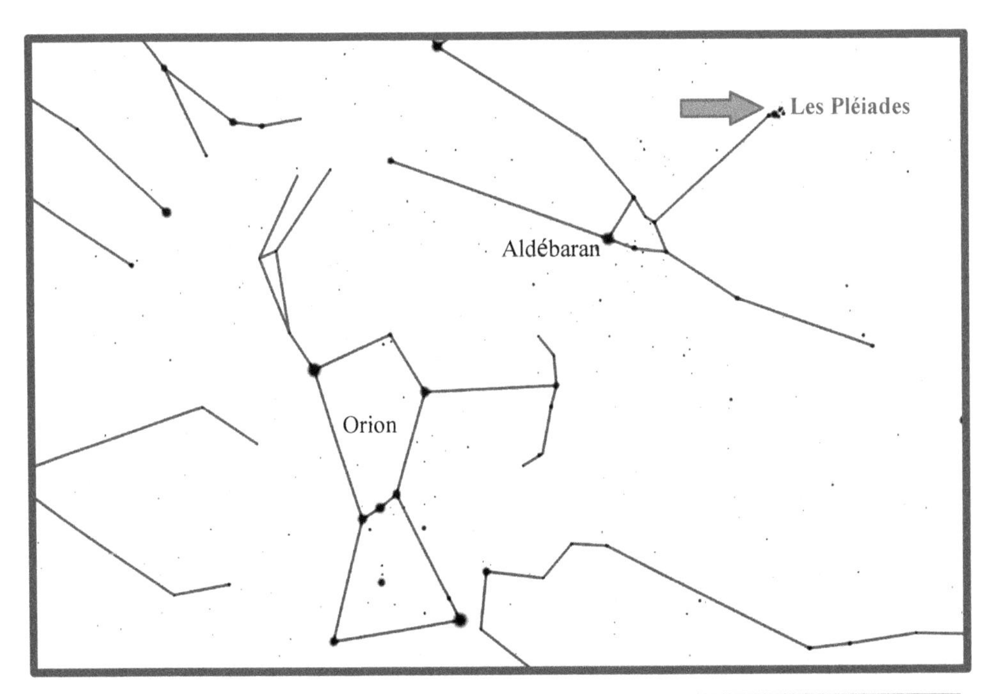

Difficulté: ☼

28. L'amas d'étoiles Hercules (M13)

Cet amas globulaire est un des seuls des quelques objets de ce livre qui réside en dehors du plan de la Galaxie! Pas surprenant, c'est là où la Terre a été volée et cachée dans le roman classique de Dan Simmons *Hypérion* (1989).

C'est aussi un des objets les plus brillants du ciel profond. Et, ce n'est pas surprenant, il est vraiment facile à trouver, car ce truc est énorme! Il y a plusieurs centaines de millier d'étoiles à cet endroit, et le plus longtemps vous les regardez, le plus il en sort. Si votre télescope est très petit, vous verrez cet objet comme une tâche grise (d'où « globulaire »).

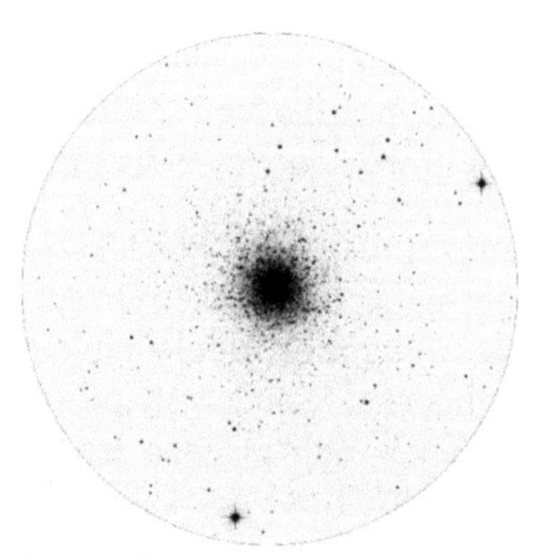

L'amas d'étoiles Hercules au travers d'un télescope

Comment le trouver? Il suffit de choisir un bord de la surface de la constellation et de tourner autour du bord jusqu'à ce que vous le trouviez.

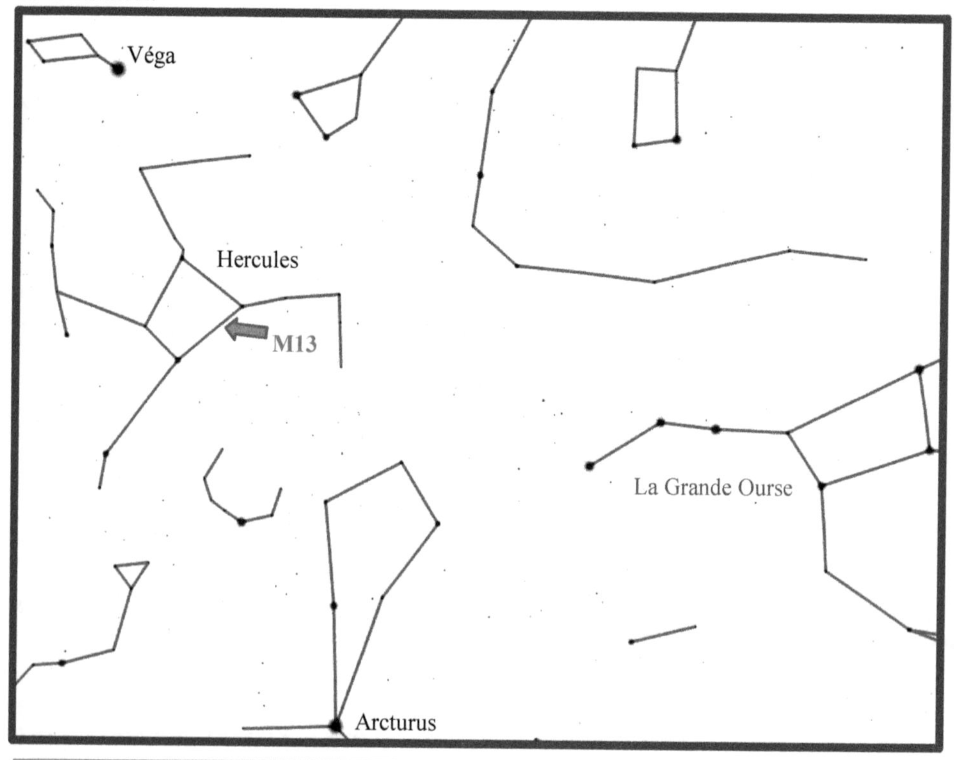

Difficulté: ☼☼☼

29. La nébuleuse d'Orion

La nébuleuse d'Orion est souvent surnommée la "Star Factory". Lorsque vous observez cette nébuleuse vous pouvez voir une grande étendue de gaz entourant une série d'étoiles. Elle s'appelle la "Star Factory" car ses étoiles sont formées à partir de ce gaz.

La nébuleuse d'Orion fait partie du nuage d'Orion, qui contient également la nébuleuse de la tête de cheval. Bien que la tête de cheval soit beaucoup trop faible pour être vue au télescope, elle est néanmoins le lieu ou se passe "*Le chant des Oods*", un des épisodes de la série de la BBC, *Doctor Who.*

La nébuleuse d'Orion est un des objets du ciel profond des plus facile (objets qui n'est pas dans notre système solaire) à trouver en fin d'automne, durant l'hiver et au début du printemps. Pour trouver cette nébuleuse, premièrement, trouvez la ceinture d'Orion, puis imaginez son épée comme la ligne d'étoiles qui descend de la ceinture. Le milieu de cette épée est la nébuleuse d'Orion.

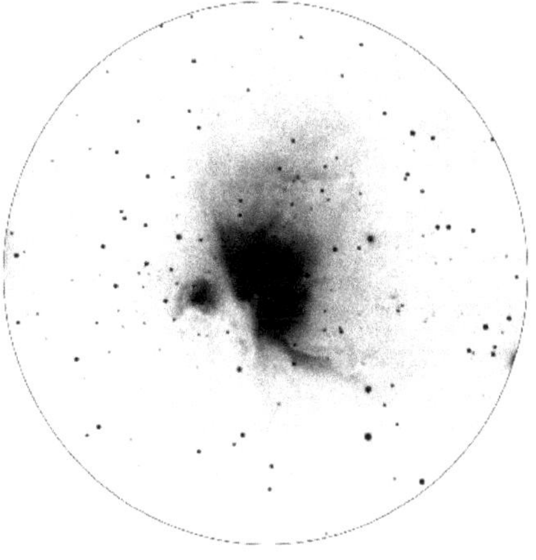

La nébuleuse d'Orion au travers d'un télescope

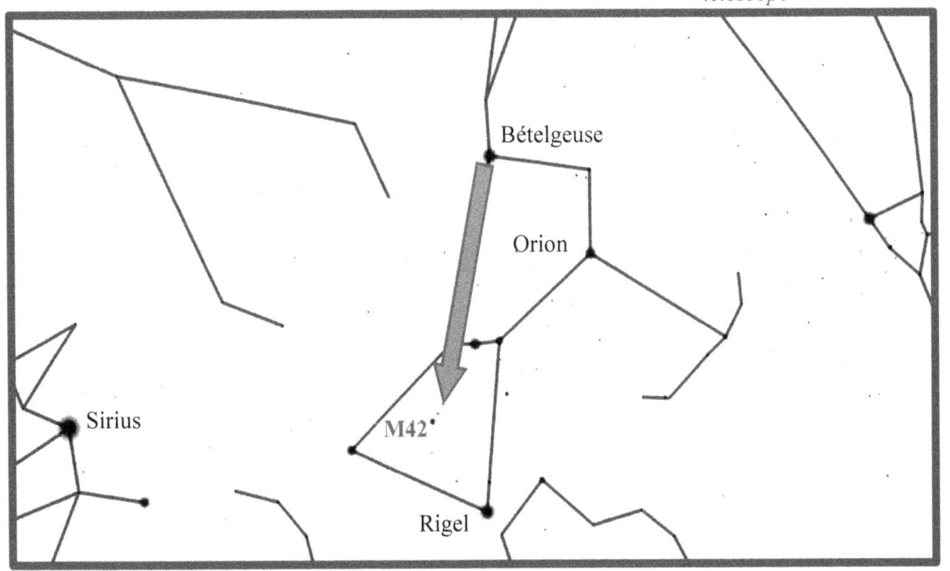

Difficulté: ☼☼

30. La galaxie Andromède (M31)

Avant ce 20e siècle, nous pensions que la voie lactée était la seule galaxie de l'univers! Les astronomes surnommaient les objets qui semblaient résider en dehors de la galaxie, les « univers insulaires », mais ils ne savaient pas trop ce qu'ils étaient. Ce ne fut que lorsque qu'Edwin Hubble mesura avec précision la distance de la galaxie d'Andromède que le débat sur l'existence des univers insulaires fut abandonné. Avant Hubble, de nombreux astronomes croyaient que la galaxie d'Andromède était en fait une nébuleuse et l'ont ainsi appelé la nébuleuse d'Andromède.

Ce qui est génial à propos de la galaxie d'Andromède est qu'elle est six fois plus large que la pleine Lune! Toutefois, la seule façon de voir la pleine extension de cette galaxie se fait par une longue prise de photographie. Quand vous voyez la galaxie d'Andromède dans votre télescope, vous voyez seulement le noyau galactique lumineux qui apparaîtra à vos yeux comme une belle tache grise.

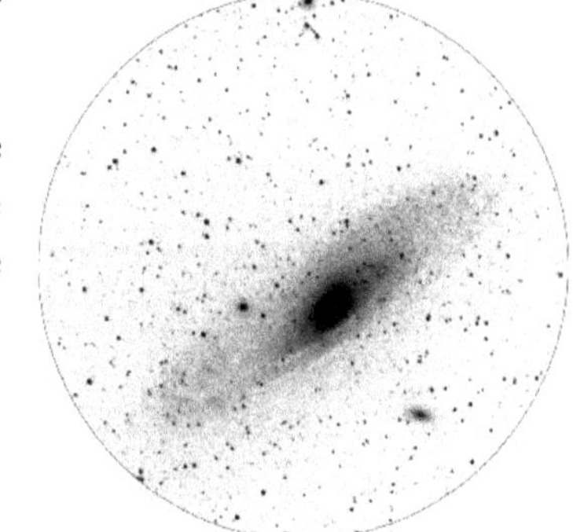

La galaxie Andromède au travers d'un télescope

Pour trouver la galaxie d'Andromède, utilisez la constellation de Cassiopée (Le grand W) et observez la distance entre deux étoiles qui composent le W, puis comptez trois de ces longueurs comme le montre le schéma ci-dessous.

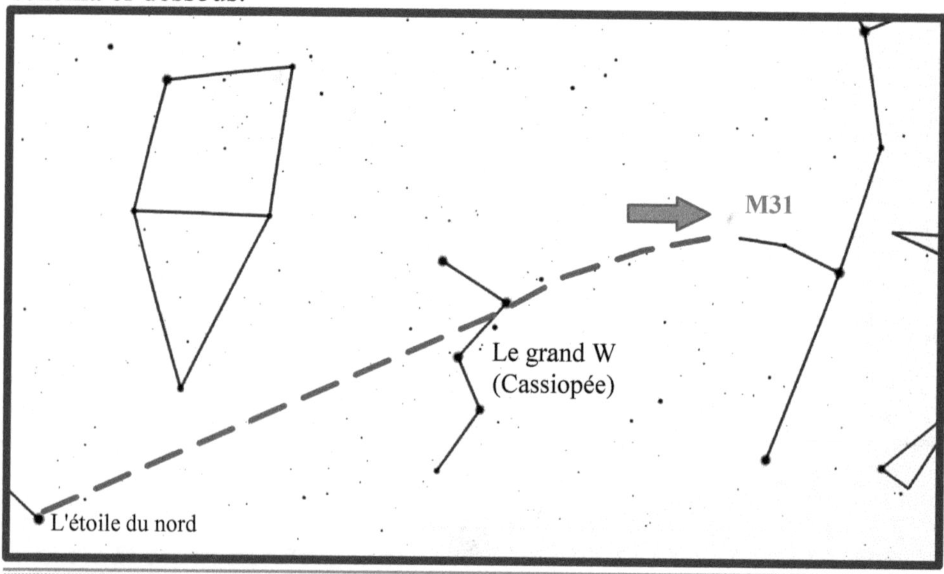

Difficulté: ☼☼☼

31. La nébuleuse du crabe (M1)

Quelque chose de spécial est arrivé le 4 juillet de l'année 1054. Non, ce n'était pas une célébration de la Journée de l'Indépendance aux Etats-Unis, ça n'aurait eu aucun sens. En ce jour, les astronomes chinois ont enregistré ce qu'ils pensaient être une nouvelle étoile, une étoile plus brillante que Vénus! Cependant, après quelques semaines, la nouvelle étoile s'est estompée mais a été encore visible pendant presque deux ans, à tel point que l'étoile s'est perdue au cours de l'histoire. L'histoire aurait pu se terminer là, mais en 1731, près de sept cents ans plus tard, un astronome britannique nommé John Bevis a observé une goutte exactement à cet endroit. Puis, presque trois décennies après, un chasseur de comètes français nommé Charles Messier a ajouté cette goutte à son (désormais célèbre) catalogue des objets qui ne sont «certainement pas des comètes ». Messier désignait l'objet "M1." En d'autres termes, la goutte était la numéro un des objets sur sa liste des «non-comètes ».

Nous savons maintenant que la nébuleuse du Crabe est un reste de supernova. Les Chinois ont observé la supernova réelle, la violente explosion d'une étoile. Maintenant, quand vous regardez au travers de votre télescope, vous observez l'explosion continue de la poussière et des tir de gaz dans l'espace à près de cinq millions de kilomètres par heure.

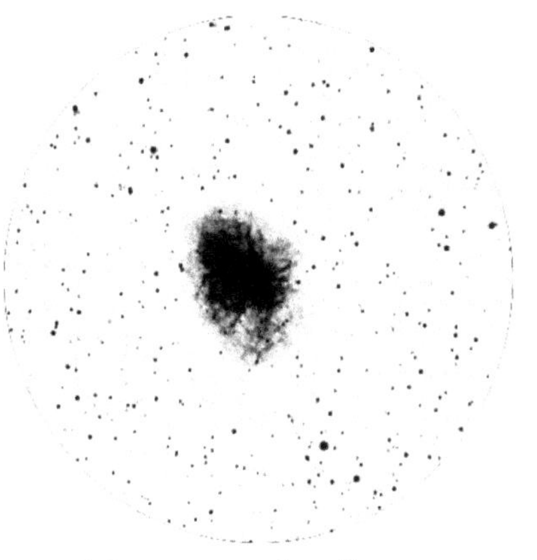

M1 au travers d'un télescope

Pour trouver la nébuleuse du Crabe, recherchez la zone juste au-dessus de la tête d'Orion.

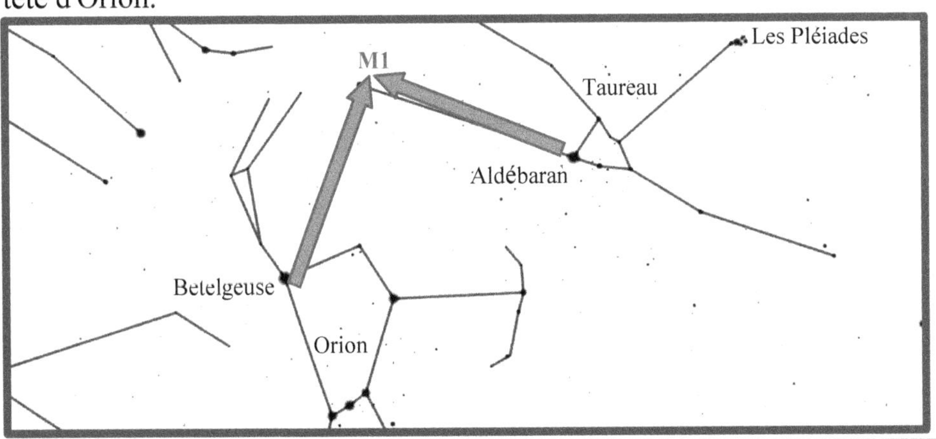

Difficulté: ☼☼☼

32. La nébuleuse de l'Haltère (M27)

Découverte en 1764 par l'astronome français Charles Messier, la nébuleuse d'haltère a été la première nébuleuse planétaire jamais découverte. Elle a également la plus grande taille apparente par rapport à tout ce qui a pu être cité dans ce livre. La photo ci-dessous montre sa taille apparente par rapport à la lune.

La nébuleuse est située dans le triangle d'été entre les constellations du petite renard et de la flèche. Fait intéressant, la nébuleuse d'haltère n'a pas eu de nom jusqu'en 1833 lorsque l'astronome John Herschel a fait cette fiche: *"Une nébuleuse en forme d'haltère, avec le contour elliptique assorti d' une faible lumière nébuleuse."*

a Lune et M27 au même grossissement

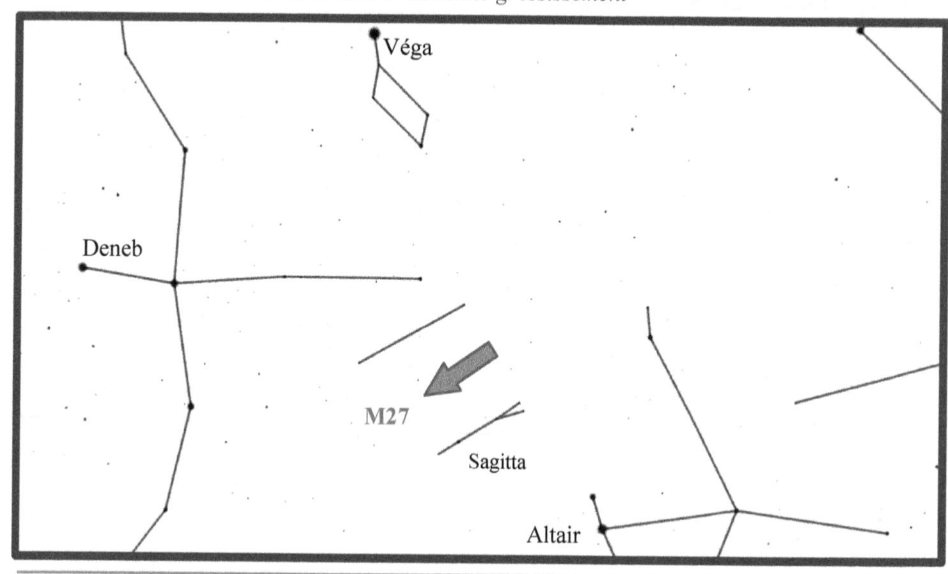

Difficulté: ✪✪✪

33. Albiréo

Albiréo est certainement l'une des plus belles étoiles du lot. Ceci vient du fait qu'il est possible de voir un vaste contraste entre deux couleurs d'étoiles. Albiréo elle-même est une étoile jaune, mais est également une étoile binaire avec un compagnon bleu. Ces étoiles sont respectivement nommées Albiréo A et Albiréo B.

Albiréo se trouve à la base de la Croix du Nord, qui n'est en fait pas une constellation, mais un astérisme (un astérisme est un groupe facilement reconnaissable d'étoiles qui ne sont pas officiellement d'une constellation. Un autre exemple d'un astérisme est la Grande Ourse). Cette constellation est celle du Cygne. Elle est principalement une constellation d'été et d'automne.

Albiréo au travers d'un télescope

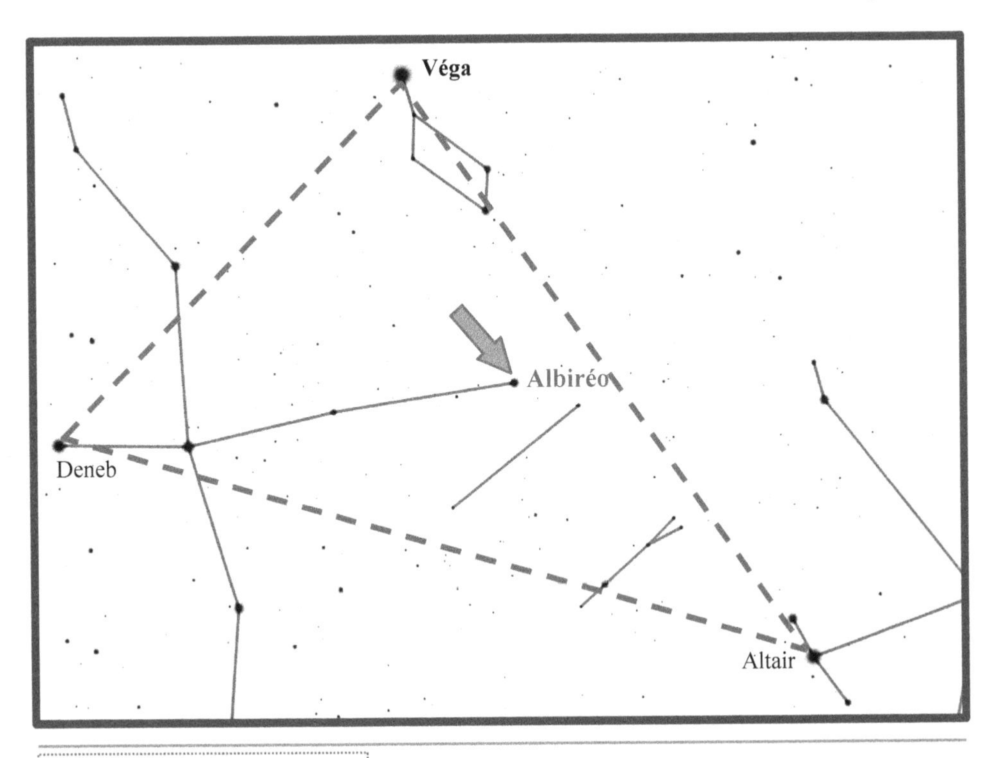

Difficulté: ☼☼

34. Mizar & Alcor

Pas besoin d'optométristes quand vous avez ces deux étoiles en vue. Surnommées le "Cheval et cavalier", voir ces étoiles situées dans la Grande Ourse était jadis considéré comme un test pour la vue! Cependant, de nos jours, la plupart des gens peuvent voir ces deux étoiles avec des verres correcteurs.

Ces étoiles forment le centre de la poignée de la Grande Ourse. En observant ces étoiles, d'abord regardez les doubles étoiles qui peuvent être vues à l'œil nu, puis regardez les étoiles de nouveau, mais à travers le télescope. Vous remarquerez que la plus brillante des deux étoiles est en fait la double étoile elle même!

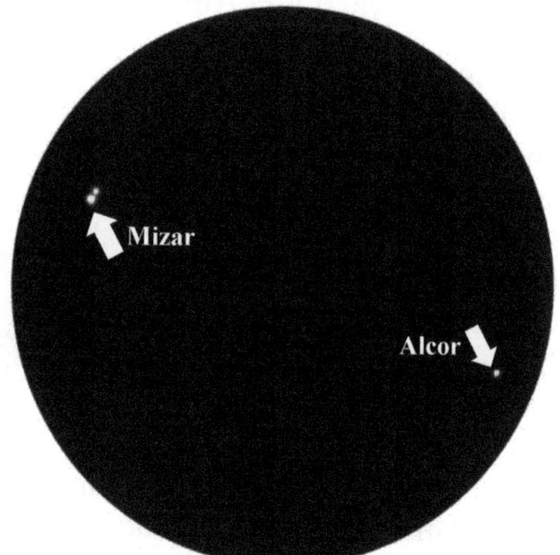

Mizar & Alcor au travers d'un télescope

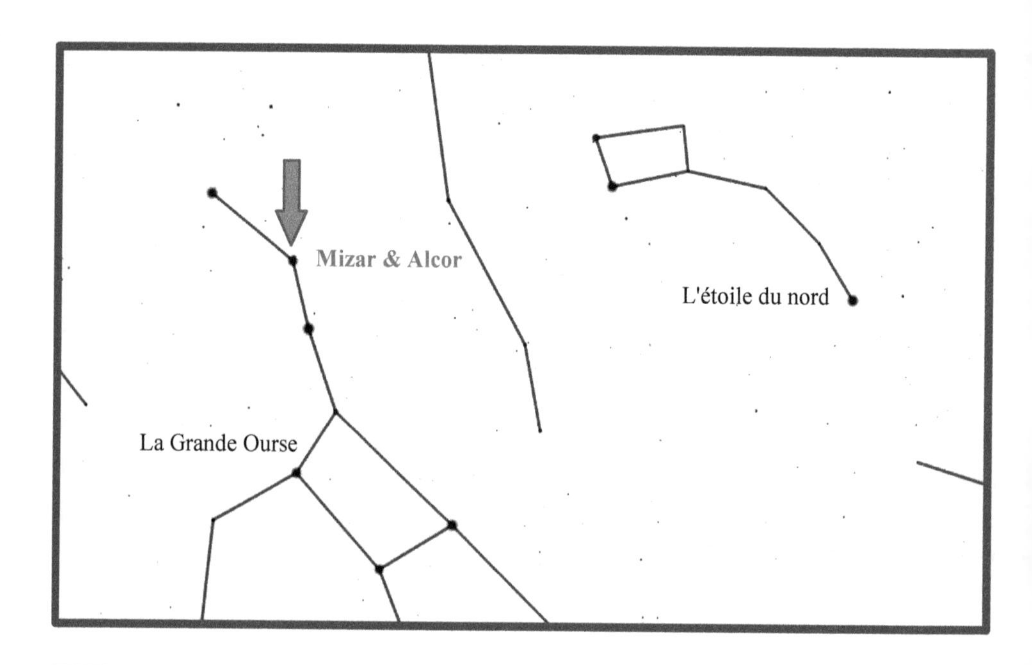

Difficulté: ☼☼

35. La nébuleuse de l'anneau (M57)

La Nébuleuse de l'Anneau est à peu près aussi grande que Jupiter dans votre télescope, mais n'est pas aussi brillante. Le défi dans un petit télescope est de voir clairement le trou dans l'anneau. Afin de voir le centre de l'anneau, vous aurez besoin d'un télescope avec une lentille ou miroir d'au moins 10 cm de diamètre.

Cette nébuleuse a été formée quand une étoile géante rouge a déversé sa coquille extérieure de gaz ionisé, laissant seulement une étoile naine blanche dans laquelle le géant rouge se trouvait autrefois.

La nébuleuse de l'anneau au travers d'un télescope

Pour trouver la Nébuleuse de l'anneau, orientez le télescope entre les étoiles *Shéliak* et *Sulafat* dans la constellation de la Lyre.

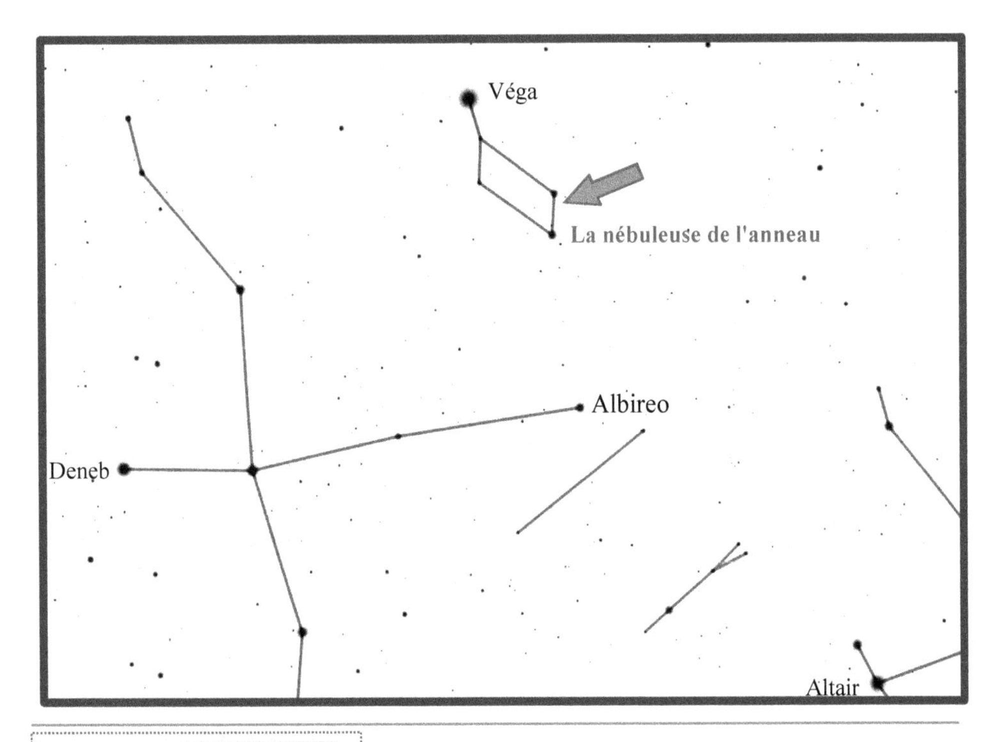

Difficulté: ☼☼☼

36. Le double amas de Persée (NGC 884 & 869)

Ces amas d'étoiles sont remarquables pour deux raisons. D'abord, ils sont faciles à trouver dans l'hémisphère Nord puisqu'ils sont au-dessus de l'horizon presque tous les soirs de l'année. Deuxièmement, chaque année, la pluie de météores des Perséides vient de cette partie du ciel à la mi-Août.

Les amas d'étoiles sont très utiles pour se rendre compte du nombre d'étoiles! Pour trouver le double amas de Persée, regardez Cassiopée (le grand W) et vous trouverez les amas en dessous et à gauche du W (ou en haut et à droite d'un grand M en fonction du temps et de la saison).

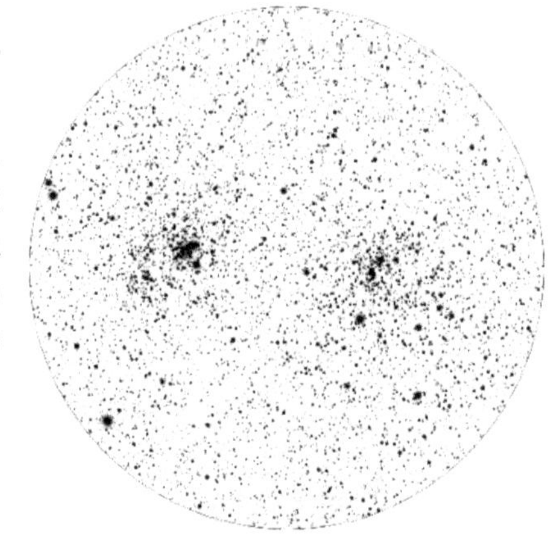

Le double amas de Persée au travers d'un télescope

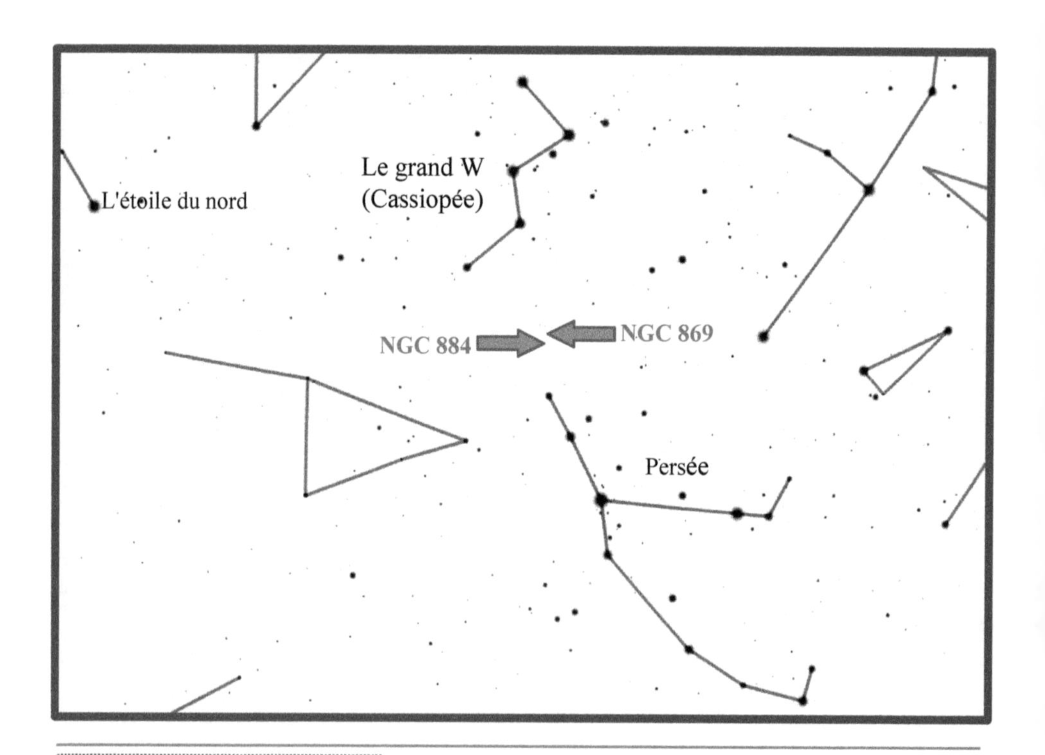

Difficulté: ☼☼☼

37. La galaxie du Tourbillon (M51)

La galaxie du Tourbillon, ou M51, est facile à trouver dans un petit télescope ou même des jumelles, mais seulement les nuits sans Lune et loin des lumières de la ville. Cette galaxie est accompagnée d'une autre galaxie plus petite désignée sous le nom de NCG 5191 ou M51b. On pense que l'interaction gravitationnelle entre ces deux structures donne au tourbillon sa forme en spirale bien définie.

Les astronomes ont découvert que la plupart des grandes galaxies ont un trou noir supermassif en leur centre et les observations de la M51 par le télescope Hubble révèle un motif distinct en forme de X autour du centre de cette galaxie. Une barre du X est très probablement de la poussière entourant le trou noir. La deuxième barre du X pourrait être de la poussière en interaction avec un cône de particules ionisées. De plus nombreuses observations seront nécessaires avant que les astronomes parviennent à un consensus scientifique. Des Supernovas ont également été observées dans cette galaxie en 1994, 2005 et 2011.

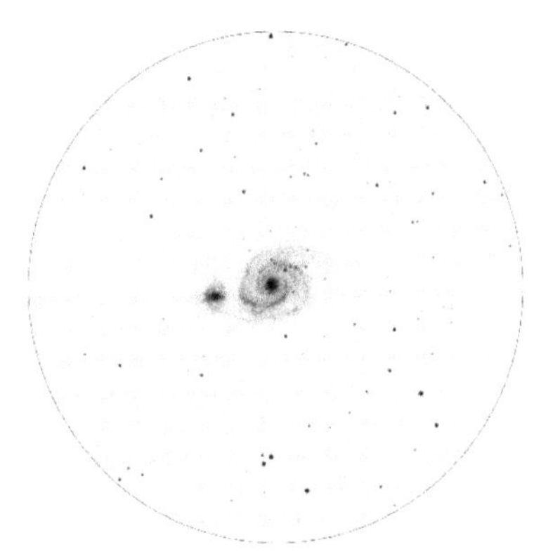

La galaxie du Tourbillon au travers d'un télescope

Pour trouver la galaxie du Tourbillon, faire un triangle juste sous la poignée de la Grande Ourse, comme indiqué ci-dessous.

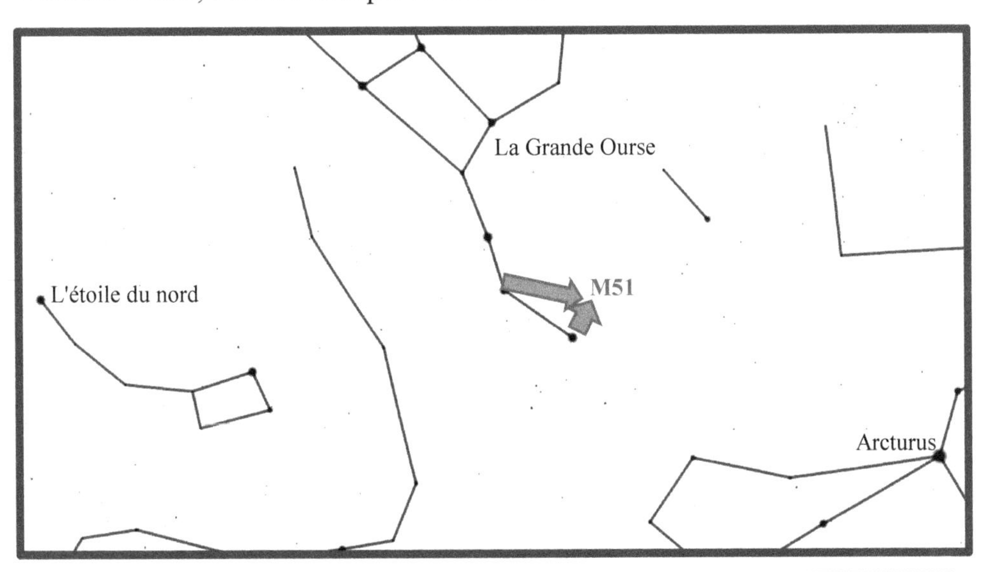

Difficulté: ✩✩✩

38. Les objets du ciel profond de Sagittaire

Même en tant qu'astronome amateur, je ne suis pas habitué à regarder l'ensemble de la constellation du Sagittaire. Heureusement, il y a un astérisme (de la constellation non officielle) appelé la théière, que je considère être du Sagittaire (voir image).

Le Sagittaire est un endroit idéal pour explorer les objets du ciel profond (des objets en dehors de notre système solaire), car il se trouve dans la direction du centre de notre voie lactée. C'est l'endroit idéal pour explorer sans tableau car il y a de bonnes chances de trouver de nombreux objets intéressants, sans l'inconvénient de consultation des cartes du ciel.

Dans le voisinage de la Théière vous pourriez trouver la nébuleuse du Lagon, la nébuleuse Oméga et la nébuleuse Trifide.

Pour voir toutes les bonnes choses dans le Sagittaire, utilisez un oculaire sans beaucoup de grossissement puisque la plupart des objets que vous trouverez sont suffisamment gros. Balayez la partie supérieure droite de la Théière pour trouver les nébuleuses, et scannez le reste de la Théière pour trouver des amas d'étoiles.

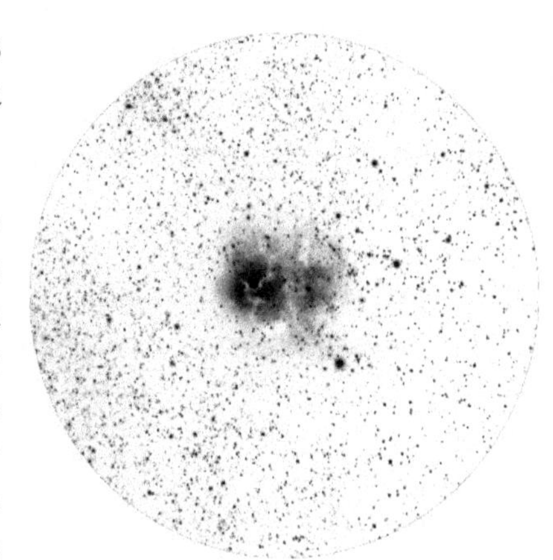

La nébuleuse Trifide au (M20) travers d'un télescope

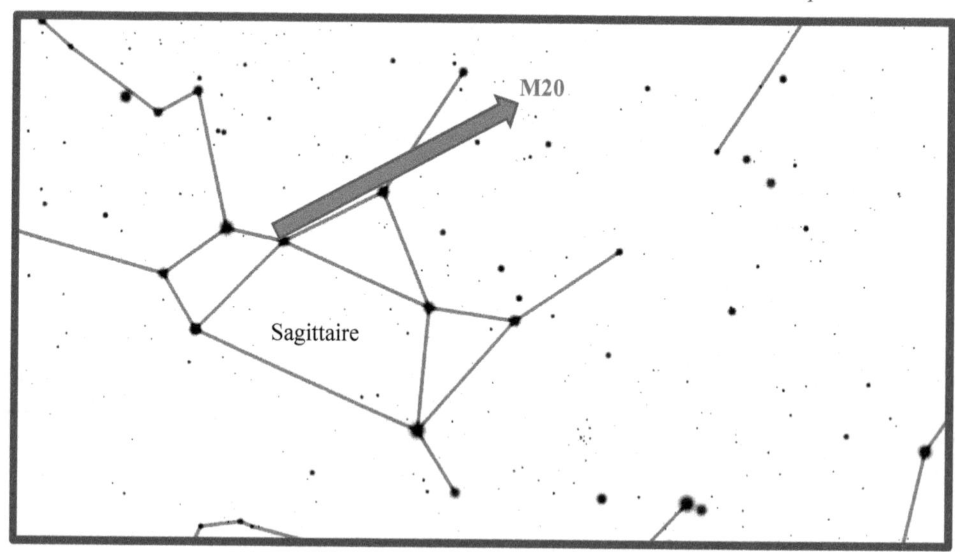

Difficulté: ☼☼☼

39. M81 et M82

Après Andromède, M81 et M82 sont les deux galaxies qui sont les plus faciles à trouver. M82 est communément appelée la Galaxie Cigar en raison de la façon dont elle apparaît sur Terre. M81 peut être appelée la galaxie de Bode, mais ce ne est pas un terme que j'entends très souvent.

M81 est particulièrement intéressante pour les astronomes professionnels, car en son centre se trouve un gigantesque trou noir d'une masse de 70 millions de fois plus importante que celle de notre soleil!

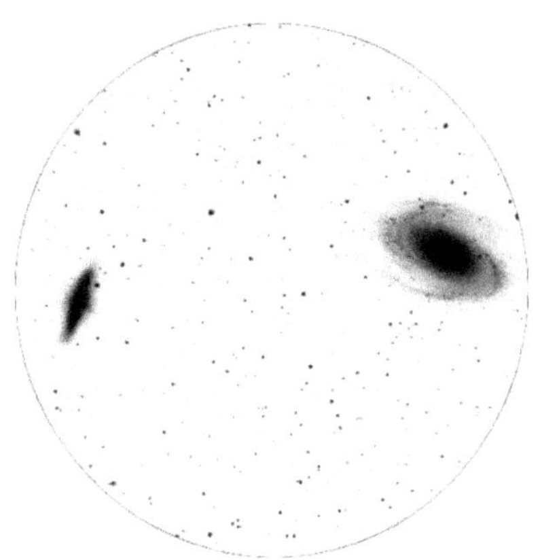

M81 et M82 au travers d'un télescope

Pour voir ces galaxies, utilisez un oculaire à faible grossissement. Avec la Grande Ourse comme guide, créez une ligne entre la partie inférieure gauche de la Grande Ourse et son haut. Puis étendez cette ligne à partir du haut pour arriver à la localisation de ces galaxies.

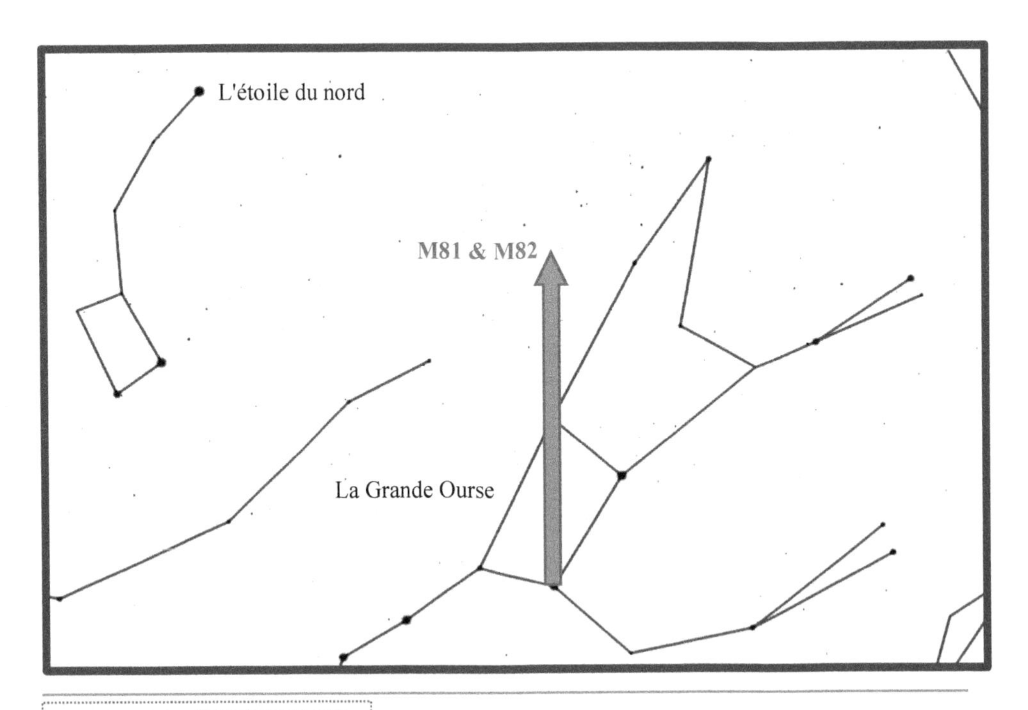

Difficulté: ☼☼☼

40. Les météores, météorites et météroïdes!

Météores, météorites et météroïdes! Même pour moi ces termes sont confus! Une "étoile filante" est un météore. La roche de l'espace est appelée une météorite seulement si elle touche le sol. Une météroïde est le terme pour la roche elle-même avant qu'elle ne pénètre dans l'atmosphère. Vous ne verrez probablement jamais une météroïde au télescope en raison de leur petite taille. Généralement si elle est plus grande qu'une dizaine de centimètres de diamètre, elle sera classée comme étant un astéroïde.

Si vous faites de nombreuses observations des étoiles, vous verrez beaucoup de météores, je vous le garantis. Pas plus tard que vendredi dernier, je travaillais avec un groupe scolaire à Walnut Creek, en Californie, quand un météore très brillant est passé par la section de ciel que nous regardions tous. On pouvait voir le météore se briser et pétiller l'instant de quelques secondes.

La plupart des météores sont plus petits qu'une balle de golf! Vous pouvez les voir parce qu'ils se déplacent à des dizaines de kilomètres par seconde et lorsque ces particules frappent l'atmosphère, elles brûlent de façon très vives.

Vous verrez même des météores dans votre télescope! Vous ne pouvez pas prévoir de voir des météores, mais après suffisamment de temps à regarder, vous êtes sure d'en voir un traverser votre champ de vision.

Credits: NASA/JPL

Difficulté: ☼☼

41. Les astéroïdes Cérès et Vesta

Vous connaissez certainement la ceinture d'astéroïdes entre Mars et Jupiter, mais la plupart des gens ne se rendent pas compte de la faible densité de la ceinture. Même dans la ceinture d'astéroïdes, l'espace est encore très, très vide. La masse de Cérès représente un tiers de l'ensemble de la ceinture d'astéroïdes. Et, la masse de tous les astéroïdes représente moins de 4% de la masse de la Lune!

En 2006, l'Union astronomique internationale a reclassé Cérès comme une planète naine (comme Pluton). Vesta, en raison de sa faible masse, est classée comme une planète mineure. Ces deux objets cependant, sont assez petits, et si lointain qu'ils ressembleront juste à des étoiles dans votre télescope. Cérès et Vesta peuvent même être vus sans un télescope dans le ciel très sombre.

Vesta photographiée par la sonde Dawn

Pour voir Cérès ou Vesta, utilisez un logiciel d'astronomie, le même que pour une planète. Une fois que vous avez trouvé l'emplacement de l'astéroïde, notez la position des étoiles environnantes et pointez le télescope dans cette direction. Si vous n'êtes pas sûr de quel point de lumière est l'astéroïde, esquissez l'emplacement des étoiles les plus brillantes. Lorsque vous observerez cet endroit à nouveau dans quelques jours, l'astéroïde est l'objet qui s'est déplacé.

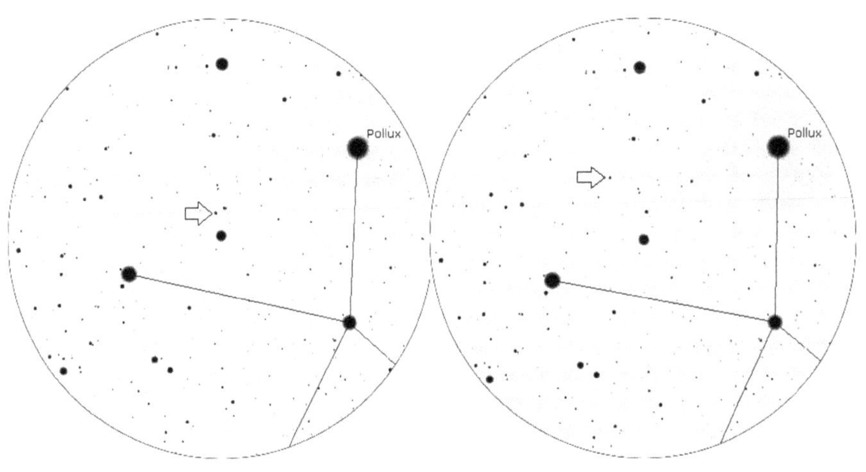

Difficulté: ✩✩✩✩✩

42. Les comètes

Quelle est la meilleure façon de savoir si vous pouvez voir une comète? Lire les actualités. Les comètes en approche sont généralement annoncées par les médias. Cependant, dans les médias, les allégations largement exagérées sur la luminosité (ou rencontres rapprochées apocalyptiques avec la Terre) sont communes. La plupart du temps, malgré le battage médiatique, seules quelques-uncs de ces comètes peuvent effectivement être vues par les observateurs occasionnels du ciel.

Les comètes ne sont pas des étoiles filantes. Les comètes sont des boules de glace de la taille d'une ville, voyageant à plus de cent soixante mille kilomètres par heure. Lorsqu'elles passent dans le voisinage du Soleil, les comètes "à gaz", elles, engendrent la création d'une queue visible de particules de millions de kilomètres de long.

Nous pouvons généralement observer les comètes à une distance de centaines de millions de kilomètres. Donc, si elles se déplacent à grande vitesse, elles sont souvent visibles pendant un mois. Cela permet à l'astronome amateur d'avoir beaucoup de temps pour observer.

Comment voir une comète: des sites d'astronomie et même les médias, afficheront d'éminents récits lorsqu'une comète sera visible dans le ciel nocturne. La plupart de ces sources fourniront des instructions sur l'endroit où chercher. Si la comète est faible, utilisez des jumelles pour scruter le ciel en fonction de la carte, une fois que vous l'avez trouvé, déplacez votre télescope pour regarder de plus près.

Une comète au travers d'un télescope

Photo de l'auteur

Difficulté: ☼☼☼☼

43. L'occultation Etoile-Lune

Les occultations se produisent quand un objet passe derrière l'autre dans l'espace. Un peu comme une éclipse. Les plus courantes sont les occultations lorsque la Lune passe devant une étoile brillante.

Les frôlements d'occultation ont tendance à être les plus intéressants; ils se produisent lorsqu'une étoile apparaît au ras de la surface de la Lune, vu de votre emplacement. Au cours d'un frôlement, il n'est pas rare que l'étoile se mette à clignoter dans et hors de la vue car elle passe entre les chaînes de montagnes ou ravine sur la surface de la Lune.

C'est une chance de pouvoir utiliser la fonction «temps» de votre logiciel d'astronomie. Pour savoir quand une occultation va se produire (sans consulter les revues astronomiques, des magazines ou sites) il suffit d'ouvrir votre logiciel d'astronomie et de sélectionner la Lune.

Une fois sélectionnée, elle doit se verrouiller au centre de votre écran (essayez d'appuyer sur la barre d'espace si vous utilisez «Stellarium»). Puis, en utilisant la fonction temps, commencez à faire défiler les "heures" en avant. Vous devriez voir la course aux étoiles en arrière-plan, tandis que la Lune reste en place. Vous pourriez avoir à avancer rapidement sur quelques semaines avant de trouver la Lune occultant une étoile brillante. Ensuite, marquez votre calendrier et définissez un rappel 30 minutes avant que l'étoile disparaisse derrière la Lune.

Difficulté: ✩✩✩✩

44. L'occultation Planète-Lune

Pour rappel, une occultation se produit chaque fois que deux choses s'alignent de telle sorte que l'une couvre l'autre du point de vue de l'observateur. Par exemple, si Saturne passe derrière la Lune, vous diriez, "Saturne a été occultée par la Lune" (comme si cela était un crime).

Pour trouver une occultation planétaire, utilisez la même technique que celle utilisée pour les occultations d'étoiles. Avec la Lune sélectionnée dans le logiciel, faites défiler les heures vers l'avant sur quelques jours, semaines ou mois, jusqu'à ce que vous voyiez que la Lune passe directement devant une planète. Ensuite, définir un rappel, et attendre que l'événement se produise.

Prendre une photo d'une occultation avec un smart-phone est difficile, mais n'est pas impossible. Pour prendre une photo avec votre téléphone, placez la caméra à l'oculaire, puis appuyez sur l'image de la Lune. Cela devrait régler le point et l'exposition. Ensuite, prenez la photo! Si vous obtenez une bonne photo, postez la immédiatement sur www.spaceweather.com. En la postant à cet endroit, votre photo peut se retrouver sur CNN ou d'autres grands réseaux d'information!

Difficulté: ✩✩✩✩✩

45.Les paysages urbains et naturels

Pointer le télescope vers les objets au sol est une excellente façon de cerner la puissance de votre télescope. Une fois, quand je faisais du bénévolat lors d'un événement sur le Mont Diablo en Californie, nous avons pointé le télescope en direction de San Francisco. Apparemment, les Giants venaient tout juste de remporter leur jeu et des feux d'artifice étaient tirés au-dessus du stade! Vous ne pouviez pas voir cela sans le télescope, de sorte que tous les enfants qui étaient là ce soir réunis autour, se sont relayés à regarder les feux d'artifice!

Le défit lorsque l'on regarde des objets au sol est que la plupart des télescopes inversent l'image. Pour cette raison, certains télescopes utilisent une lentille d'"inversion" pour remettre le visuel à l'endroit.

Les paysages deviennent de bonnes cibles pour télescope si vous êtes en camping ou si vous avez configuré votre portée avant le coucher du soleil. Pourquoi pensez-vous donc que de nombreuses destinations touristiques ont des télescopes ou des jumelles montées de façon permanente à chaque point de vue?

Si vous êtes à Yosemite, regardez les grimpeurs escaladant El Capitan! Si vous faites du camping à Lava Beds National Monument, visez des kilomètres et des kilomètres de roches volcaniques. Du camping sur la plage? Utilisez votre télescope pour observer les navires en mer.

Vous pourriez même voir une baleine!

Photo de l'auteur   *Photo de l'auteur*

Difficulté: ☼

46. Les oiseaux

Personnellement, je ne connais pas beaucoup de choses sur les oiseaux, mais certaines personnes achètent leur télescope uniquement pour les observer. Certains petits télescopes, comme le Meade ETX 60, sont fournis à cet effet, avec une fente de caméra séparée.

Une des bonnes choses à propos de l'observation des oiseaux avec un télescope, est la profondeur de champ. La profondeur de champ est un terme utilisé en photographie pour décrire le degré auquel le sujet est mis au point. Lorsque vous visualisez un oiseau sur un arbre avec un télescope, l'oiseau seulement sera dans la mise au point. Ceci parce que le télescope crée naturellement une profondeur «superficielle» du champ.

Les télescopes sont les meilleurs outils pour l'observation des oiseaux qui sont loin; sinon il serait préférable d'utiliser des jumelles. Selon une recherche rapide sur Internet, les meilleurs oiseaux à regarder au travers d'un télescope sont les oiseaux sauvages en rase campagne, ou les oiseaux de mer.

Difficulté: ☼

47. Les fusées du satellite Iridium

Un satellite en orbite normal, vu de la Terre, est à peu près aussi brillant qu'une étoile sombre. Les satellites sont souvent observés en déplacement rapide à travers le ciel, peu après le coucher du soleil ou avant le lever. Toutefois, si ce satellite est un satellite de communication Iridium avec plusieurs antennes plates et brillantes, alors vous allez vous régaler!

La façon la plus facile de repérer les fusées de satellites de communication Iridium est de télécharger une application de téléphone tels que Sputnik: http://sputnikapp.info L'application crée une prévision de votre emplacement et vous envoie des alertes quand il est sur le point de devenir une fusée.

Vous n'avez pas besoin d'un télescope pour voir ces fusées éclairantes, mais il peut être amusant d'en utiliser un. Et visualiser des objets en mouvement dans l'espace est un bon entraînement pour lorsque vous voudrez voir quelque chose de plus difficile comme un astéroïde près de la Terre ou la Station Spatiale Internationale.

Eclat d'Iridium au-dessus de San Francisco. Photo de l'auteur

Difficulté: ☼☼☼

48. Les hélicoptères et avions

Vous habitez dans une zone de criminalité élevée? Moi oui, pour sure. La prochaine fois que les policiers sont à la recherche du coupable, utilisez votre télescope pour voir si vous pouvez différencier l'hélicoptère de la police de l'hélicoptère des journalistes.

Vous pourriez penser que ce paragraphe est bizarrement inclus dans un livre d'astronomie, cependant, les plus grands astrophotographes du monde, tel que Thierry Legault, utilisent des aéronefs en préparation afin de repérer rapidement les objets dans l'espace, telle que la Station Spatiale Internationale en mouvement. L'incroyable travail de Thierry peut être découvert à cette adresse: http://legault.perso.sfr.fr/

Pour voir un plan dans votre télescope, vous devrez d'utiliser le minimum d'agrandissement; ce qui nécessitera l'utilisation de votre plus grand oculaire. Utilisez le chercheur pour réduire le plan et commencez à déplacer votre portée pour le garder en vue. Continuez à le suivre pendant que vous vous déplacez du chercheur à l'oculaire.

Le suivi d'un avion est plus ou moins facile selon le type de montage que vous utilisez. Une monture Lazy-Susan (appelée Dobson), une monture en bol, ou monture de caméra sera optimale; une monture équatoriale sera difficile puisque le mouvement est restreint.

Chasser les avions est une bonne activité pour attendre les étoiles avec les enfants avant la nuit. Assurez-vous juste que le soleil est réglé de telle sorte que vous ne pointez pas accidentellement le télescope dans cette direction. Quand je travaille avec des étudiants, nous jouons parfois à un jeu pour voir qui peut deviner la compagnie aérienne à laquelle appartient l'avion, ensuite nous regardons dans le télescope pour le découvrir!

Photo de l'auteur

Difficulté: ☼☼☼

49. La station spaciale internationale

Surnommée «ISS» par ceux de la communauté de l'espace, la Station spatiale internationale peut être vue au moins quelques fois par semaine à partir de presque chaque endroit sur Terre. Elle est visible soit le matin avant le lever du soleil ou le soir peu après le coucher du soleil.

Voir la Station spatiale avec votre télescope peut être difficile, surtout si vous avez une monture équatoriale, mais avec un design Dobson ou de plateau, elle peut être une cible relativement facile. Utilisez l'application de la NASA par votre smartphone ou une autre application gratuite de suivi ISS (comme ISS Spotter pour iPad) pour trouver quand la Station Spatiale Internationale passera la prochaine fois.

Pour voir l'ISS dans votre champ, utilisez un oculaire qui offre un grossissement moyen. Tout d'abord, suivez la station dans votre chercheur, puis passer à l'oculaire. Si vous êtes chanceux, vous devriez être en mesure de voir les panneaux solaires.

Photo de l'auteur

Comment est-il possible de voir autant de détails? Eh bien, l'ISS est en orbite à seulement quelques centaines de kilomètres au-dessus de la Terre et mesure la taille d'un terrain de football. Cela signifie que, lors de sa plus proche position, la station peut apparaître trois fois plus grande que Saturne!

Remarque: L'obtention de l'ISS dans votre champ est beaucoup plus facile avec deux personnes, l'une pour rechercher la station spatiale dans la lunette d'observation et l'autre pour observer la station à travers l'oculaire.

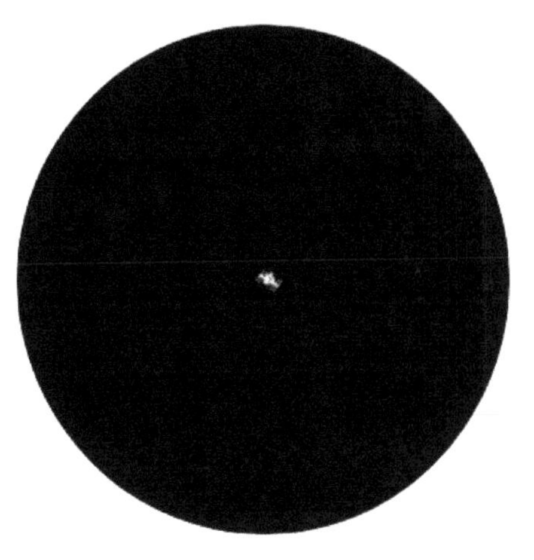

La station spaciale internationale au travers d'un télescope

Difficulté: ☆☆☆☆☆

50. Supernova

Si vous êtes à la recherche d'Andromède (ou une autre galaxie si vous pouvez la voir) et vous rendez compte qu'elle a une nouvelle «étoile» en elle, vous pourriez avoir repéré une supernova! Les supernovæ sont engendrées par l'explosion d'une étoile et la libération de suffisamment d'énergie pour éclipser une galaxie entière.

Les recherches de Supernova entrent dans le domaine de l'astronomie amateur. Cependant, les méthodes mériteraient un livre beaucoup plus gros que celui-ci. Pour résumer, lorsqu'une étoile devient une supernova, des particules appelées neutrinos sont libérées dans les heures avant l'explosion. Ces neutrinos sont détectés par des instruments autour de la Terre, donnant une localisation approximative de la supernova à venir. Un message venant d'internet est envoyé aux membres de la communauté de l'astronomie et la chasse est ouverte! Si vous êtes la seule personne à observer la supernova, votre nom fait l'actualité.

Si, toutefois, la supernova a déjà été découverte, vous pouvez obtenir l'emplacement de la nouvelle supernova à partir d'un site Web tel que http://www.skyandtelescope.com et tentez de voir par vous-même!

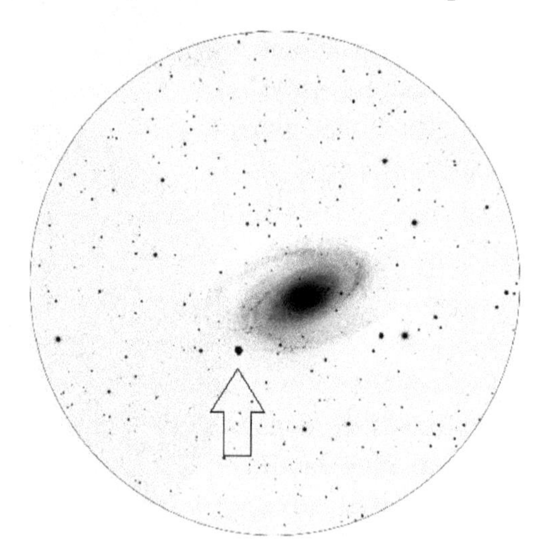

Supernova au travers d'un télescope

Difficulté: ✪✪✪✪✪

Conclusion

J'espère que vous avez apprécié cette visite de *50 objets à voir depuis un petit télescope*! Si vous souhaitez continuer ce passe-temps, je vous encourage fortement à rejoindre un club local d'astronomie.

La suite, *50 découvertes avec un télescope intermédiaire*, présente à l'astronome débutant un nouvel assortiment de merveilles astronomiques. La plupart des objets peuvent être vus depuis les banlieues, avec seulement quelques exceptions notées nécessitant un ciel plus sombres. Pour les nuits sombres et sans lune, la plupart des cibles seront même visibles dans les petits télescopes et les jumelles.

Annexe 1: Eclipses solaires 2016 – 2021

Type d'éclipse	Date	Heure de plus forte éclipse (UTC)	Emplacement
Totale	9 mars 2016	1:58:19	**Totale :** Indonésie, Micronésie, îles Marshall **Partielle :** Asie du sud-est, Corée, Japon, Russie orientale, Alaska, nord-ouest de l'Australie, Hawaï, Pacifique
Annulaire	1er septembre 2016	9:08:02	**Annulaire :** Atlantique, Afrique centrale, Madagascar, Inde **Partiel :** Afrique, océan Indien
Annulaire	26 février 2017	14:54:33	**Annulaire :** Sud du Chili et de l'Argentine, Angola, Sud-Ouest du Katanga **Partielle :** Afrique australe et occidentale, sud de l'Amérique du Sud, Antarctique
Totale	21 août 2017	18:26:40	**Totale :** Oregon, Idaho, Wyoming, Nebraska, Nord-Est du Kansas, Missouri, Sud de l'Illinois, Ouest du Kentucky, Tennessee, Sud-Ouest de la Caroline du Nord, du Nord-Est de la Géorgie, Sud de la Caroline **Partielle :** Amérique du Nord, Hawaii, Groenland, Islande, Iles britanniques, Portugal, Amérique centrale, Amérique du sud, Caraïbes du Nord, péninsule Tchouktche
Partielle	15 février 2018	20:52:33	**Partielle :** Amérique du Sud
Partielle	13 juillet 2018	3:02:16	**Partielle :** Australie-méridionale, Victoria, Tasmanie, océan Indien, Côte de Budd
Partielle	11 août 2018	9:47:28	**Partielle :** Nord-Est du Canada, Groenland, Islande, Océan Arctique, Scandinavie, îles britanniques du Nord, Russie, Asie du Nord
Partielle	6 janvier 2019	1:42:38	**Partielle :** Asie du Nord-Est, Sud-Ouest de l'Alaska, îles Aléoutiennes
Totale	2 juillet 2019	19:24:08	**Totale :** Argentine centrale et Chilie, archipel des Tuamotu **Partielle :** L'Amérique du Sud, l'île de Pâques, îles des Galápagos, Sud de l'Amérique centrale, Polynésie
Annulaire	26 décembre 2019	5:18:53	**Annulaire :** Nord-Est de l'Arabie Saoudite, Bahreïn, Quatar, Émirats Arabes Unis, Oman, Lakshadweep, Sud de l'Inde, Sri Lanka, Sumatra du Nord, Sud Malaisie, Singapour, Bornéo, Indonésie centrale, Palau, Micronésie, Guam **Partielle :** Asie, Mélanésie occidentale, Nord-Ouest de l'Australie, Moyen-Orient, Afrique de l'Est
Annulaire	21 juin 2020	6:41:15	**Annulaire :** République démocratique du Congo, Soudan, Éthiopie, Érythrée, Yémen, Oman, Sud du Pakistan, Nord de l'Inde, New Delhi, Tibet, Sud de la Chine, Chongqing, Taiwan **Partielle :** Asie, Europe du Sud-Sst, Afrique, Moyen Orient, Ouest de la Melanésie, Australie-occidentale, territoire du Nord, la péninsule du Cap York
Totale	14 décembre 2020	16:14:39	**Totale :** Argentine du Sud du Chili, Kiribati, Polynésie **Partielle :** Amérique centrale et du Sud, Afrique du Sud-Ouest, péninsule Antarctique, terre d'Ellsworth, Ouest de Queen Maud Land
Annulaire	10 juin 2021	10:43:07	**Annulaire :** Du Nord Canada, Groenland, Russie **Partielle :** Nord de l'Amérique du Nord, Europe, Asie
Totale	4 décembre 2021	7:34:38	**Totale :** Antarctique **Partielle :** Afrique du Sud, Atlantique Sud

Prédictions d'éclipse par Fred Espenak, GSFC de la NASA

Annexe 2: Eclipses solaires 2022 - 2030

Type d'éclipse	Date	Heure de plus forte éclipse (UTC)	Emplacement
Partielle	30 avril 2022	20:42:36	**Partielle :** Pacifique du Sud-Est, sud de l'Amérique du Sud
Partielle	25 octobre 2022	11:01:20	**Partielle :** Europe, nord-est de l'Afrique, Moyen-Orient, Asie du Sud-Ouest
Hybride	20 avril 2023	4:17:56	**Hybride :** Indonésie, Australie, Nouvelle-Guinée **Partielle :** L'Asie du sud-est, Indes, Philippines, Nouvelle-Zélande
Annulaire	14 octobre 2023	18:00:41	**Annulaire :** Ouest des États-Unis, Amérique centrale, Colombie, Brésil **Partielle :** Amérique du Nord, Amérique centrale, Amérique du Sud
Totale	8 avril 2024	18:18:29	**Totale :** Mexique, Centre des Etats-Unis, est du Canada **Partielle :** Amérique du Nord, Amérique centrale
Annulaire	2 octobre 2024	18:46:13	**Annulaire :** Sud du Chili, le sud de l'Argentine **Partielle :** Pacifique, sud de l'Amérique du Sud
Partielle	29 mars 2025	10:48:36	**Partielle :** Nord-ouest de l'Afrique, l'Europe, nord de la Russie
Partielle	21 septembre 2025	19:43:04	**Partielle :** Pacifique Sud, la Nouvelle-Zélande, l'Antarctique
Annulaire	17 février 2026	12:13:06	Annulaire : Antarctique **Partielle :** Du Sud Argentine, Chili, Afrique du Sud, Antarctique
Totale	12 août 2026	17:47:06	**Totale :** Arctique, Groenland, Islande, Espagne, Portugal Nord-est **Partielle :** Nord de l'Amérique du Nord, Afrique de l'Ouest, Europe
Annulaire	6 février 2027	16:00:48	**Annulaire :** Chili, Argentine, Atlantique Partiel : Amérique du Sud, Antarctique, Ouest et Sud de l'Afrique
Totale	2 août 2027	10:07:50	**Totale :** Maroc, Espagne, Algérie, Libye, Egypte, Arabie saoudite, Yémen, Somalie **Partielle :** Afrique, Europe, mi est, Ouest et l'Asie du Sud
Annulaire	26 janvier 2028	15:08:59	**Annulaire :** Equateur, Pérou, Brésil, Suriname, Espagne, Portugal **Partielle :** Amérique du Nord, centrale et l'Amérique du Sud, Europe de l'Ouest, nord-ouest de l'Afrique
Totale	22 juillet 2028	2:56:40	**Totale :** Australie, Nouvelle Zélande **Partiel** : l'Asie du Sud-Est, Indes orientales
Partielle	14 janvier 2029	17:13:48	**Partielle :** Amérique du Nord, Amérique centrale
Partielle	12 juin 2029	4:06:13	**Partielle :** Nord du Canada, Asie du Nord, Scandinavie, Alaska, Arctique
Partielle	11 juillet 2029	15:37:19	**Partielle :** Sud du Chili, Sud de Argentine
Partielle	5 décembre 2029	15:03:58	**Partielle :** Sud de l'Argentine, le Chili du Sud, Antarctique
Annulaire	1er juin 2030	6:29:13	**Annulaire :** Algérie, Tunisie, Grèce, Turquie, Russie, Chine du Nord, Japon **Partielle :** Europe, Afrique du Nord, mi est, Asie, Arctique, Alaska
Totale	25 novembre 2030	6:51:37	**Totale :** Botswana, Afrique du Sud, Australie **Partielle :** Sud de l'océan indien, Indes, Australie, Afrique du Sud, Antarctique

Prédictions d'éclipse par Fred Espenak, GSFC de la NASA

Annexe 3: Carte d'été de la constellation pour l'hémisphère nord*

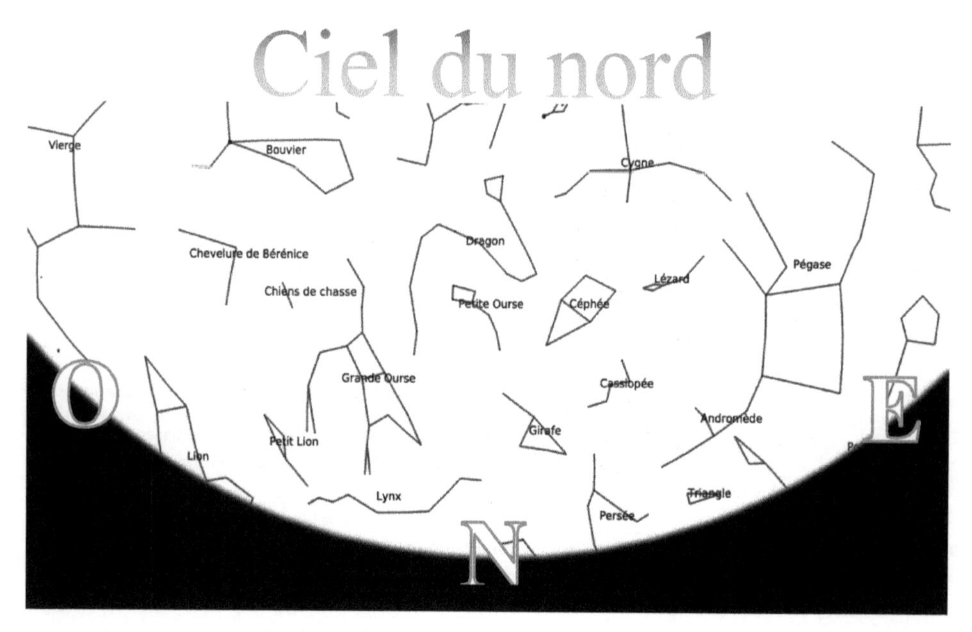

*~Latitude 37 degrés

Annexe 4: Carte du printemps de la constellation pour l'hémisphère nord*

Ciel du nord

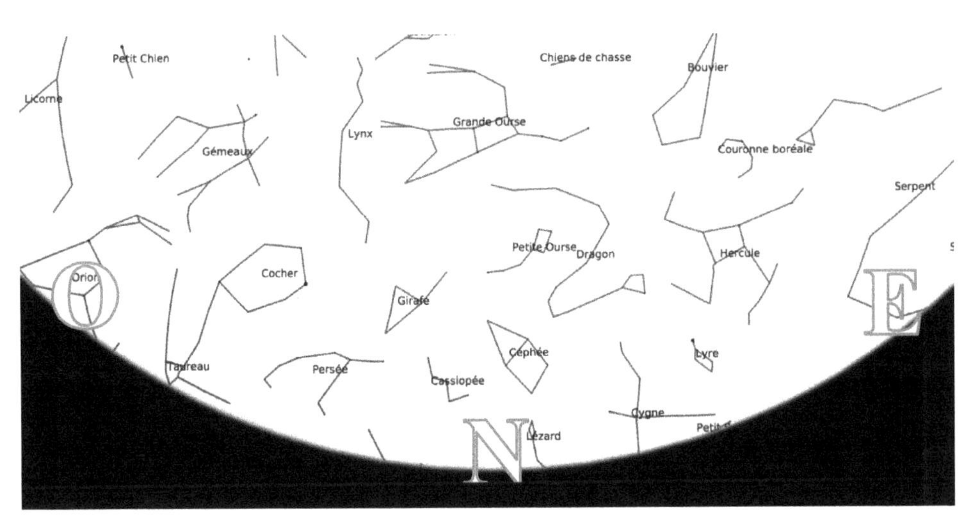

Ciel du sud

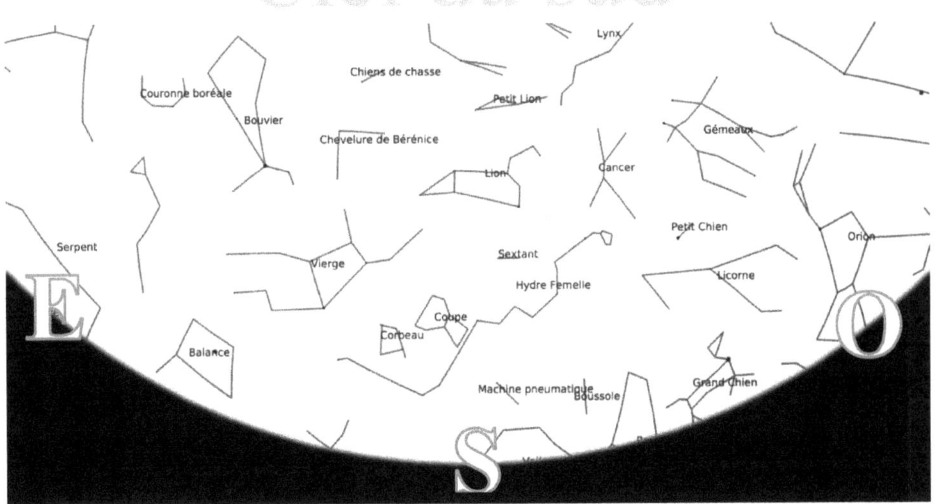

*~Latitude 37 degrés

Annexe 5: Carte d'hiver de la constellation pour l'hémisphère nord*

Ciel du nord

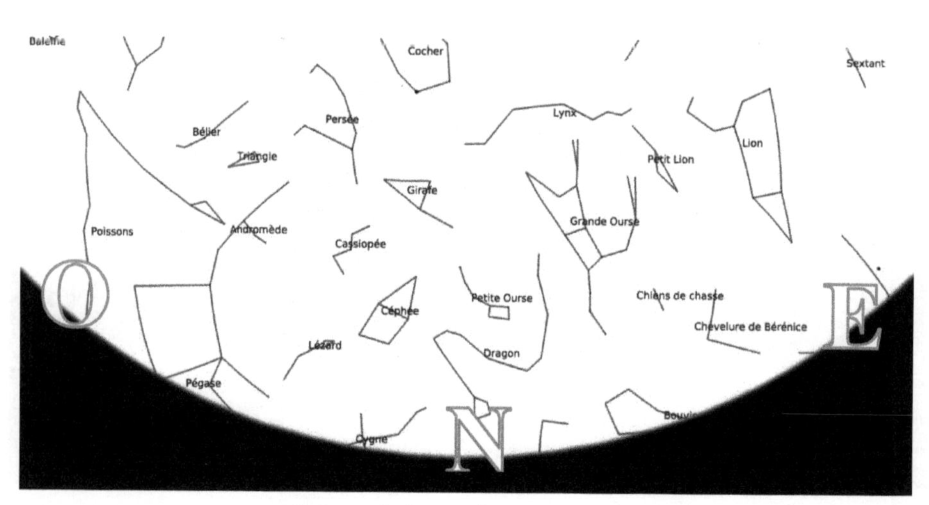

Ceil du sud

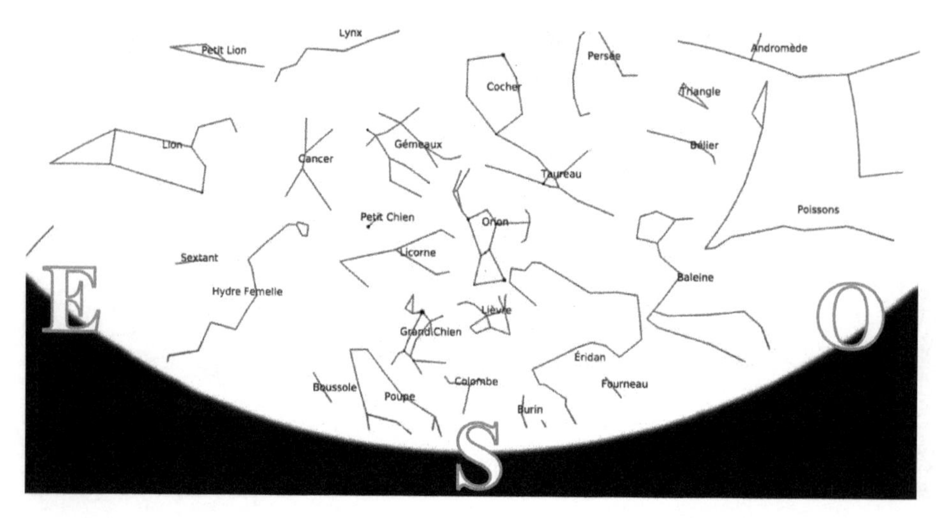

*~ Latitude 37 degrés

Annexe 6: Carte d'automne de la constellation pour l'hémisphère nord*

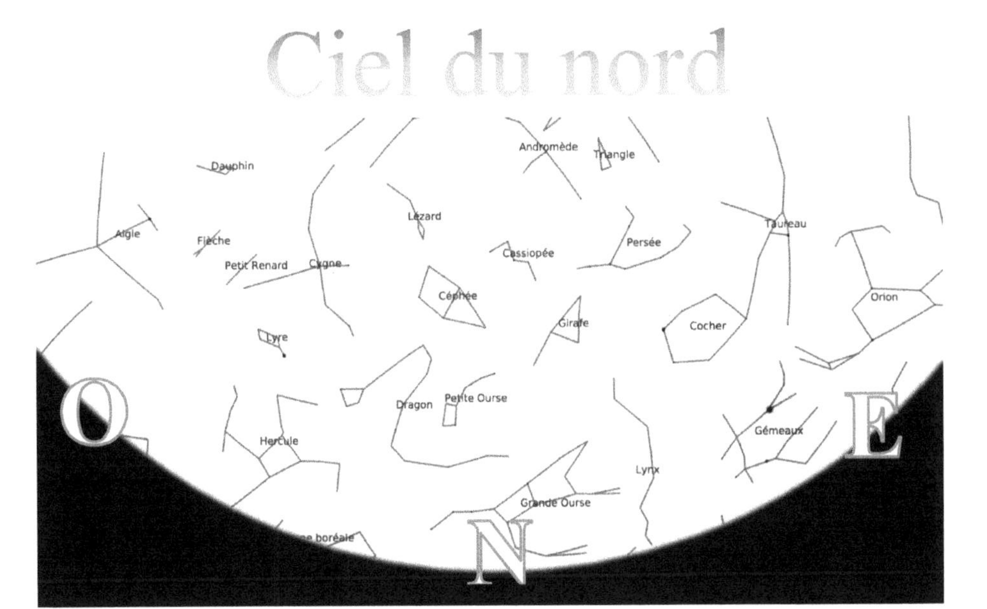

Ceil du sud

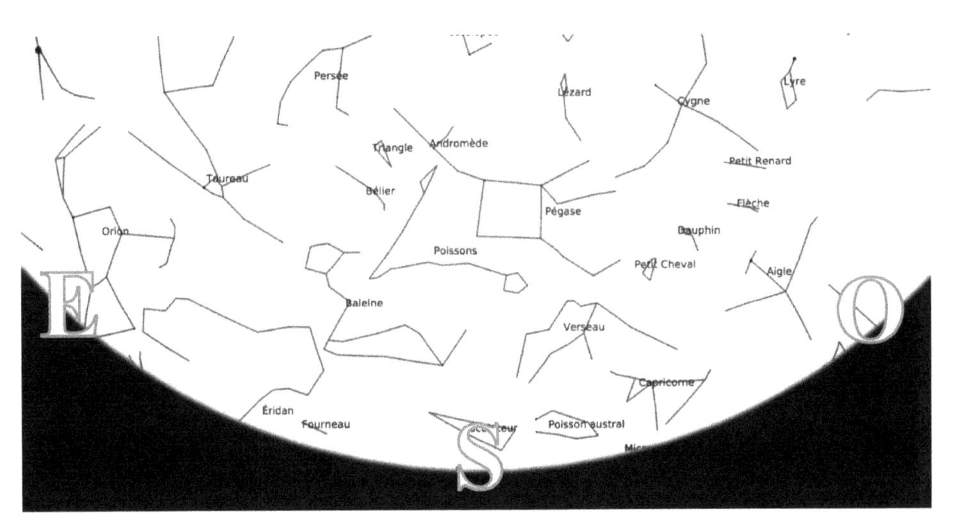

*~ Latitude 37 degrés

Milton Keynes UK
Ingram Content Group UK Ltd.
UKHW050646210624
444309UK00001B/2

9 780999 034620